新完全マスター語彙

日本語能力試験

N1

伊能裕晃・本田ゆかり・来栖里美・前坊香菜子・阿保きみ枝・宮田公治 著

スリーエーネットワーク

新完全マスター 語彙

日本語能力試験

語彙 N1

伊能裕晃・本田ゆかり・来栖里美・前坊香菜子・阿保きみ枝・宮田公治 著

スリーエーネットワーク

Published by 3A Corporation.
Trusty Kojimachi Bldg., 2F, 4, Kojimachi 3-Chome, Chiyoda-ku, Tokyo 102-0083, Japan

ISBN978-4-88319-573-2 C0081

First published 2011
Printed in Japan

はじめに

　日本語能力試験は、1984 年に始まった、日本語を母語としない人の日本語能力を測定し認定する試験です。受験者が年々増加し、現在では世界でも大規模の外国語の試験の一つとなっています。試験開始から 20 年以上経過する間に、学習者が多様化し、日本語学習の目的も変化してきました。そのため、2010 年に新しい「日本語能力試験」として内容が大きく変わりました。新しい試験では知識だけでなく、実際に運用できる日本語能力が問われます。

　本書はこの試験の N 1 レベルの問題集として作成されたものです。

　新しい「日本語能力試験」では、語彙に関して、まず、以下の 3 点が、今までの試験と大きく変わりました。

①試験の出題範囲となる語が約 10,000 語から約 15,000 語に増えた。

②どの語が試験に出題されるかを示す語彙リストがすべて非公開となった。

③日本語を学ぶ人が、どのような状況（目標言語使用領域）で、何のために（課題）、
　日本語を使うかという観点から、試験に出題される語彙の選び直しが行われた。

　そして、このような試験の変化に対応できるよう、本書は以下のような特徴を備えた本になっています。

■本書の特徴

①新しい「日本語能力試験」で語彙を選ぶ際に使われた資料と同じ N T T データベー
　スシリーズ『日本語の語彙特性』（三省堂）等、複数の資料を用い、語彙（全 1,613
　語）の選出を行った。

②日本語を学ぶ人がどのような状況で、何のために日本語を使うかを想定し、話題
　別に言葉を学ぶ章を設けた。（本書第 1 部）

③過去 20 年分の問題や新しい試験のサンプルなどを分析して、「類義語」「オノマ
　トペ」「語形成」など、さまざまな性質別に言葉を学ぶ章を設けた。（本書第 2 部）

④例文や問題の作成にあたり、インターネット上の大規模言語データベース ＝ コー
　パス (Sketch Engine) 等を用い、自然で有用性の高い日本語の文を示すようにした。

⑤試験に向けた実践的な練習ができるよう、本書の最後に模擬試験を 2 回分付した。

　本書は今までにない特徴を備えた問題集になっていると確信しています。ぜひ手に取って、日本語の語彙力を磨くために使っていただければ、と思います。

著者

目　次

本書をお使いになる方へ

■本書の目的

本書は以下の2点を大きな目的としています。

①日本語能力試験N1対策：N1の試験に合格できる力を付ける。

②語彙力の向上：試験対策にとどまらない全般的な語彙の力を付ける。

■日本語能力試験N1語彙問題とは

日本語能力試験N1は、「言語知識・読解」（試験時間110分）と「聴解」（試験時間60分）の二つに分かれており、語彙問題は「言語知識・読解」の一部です。

N1の語彙問題は更に以下の三つの部分に分かれます。

1　文脈規定　　　前後の文脈から空所に入る語を選ぶ問題

2　言い換え類義　出題された語と意味的に近い語を選ぶ問題

3　用法　　　　　複数の文の中から語が正しく使われている文を選ぶ問題

■本書の構成

本書は、以下のような構成になっています。

実力養成編	第1部　話題別に言葉を学ぼう　9章　全15課
	第2部　性質別に言葉を学ぼう　7章　全16課
模擬試験	2回

索引　ふりがな付き、五十音順

別冊解答　一部、解説あり

以下に詳細を説明します。

第1部　話題別に言葉を学ぼう

N1レベルの日本語を学ぶ人がどのような状況で、日本語を使うかを想定して、話題が選んであります。各課の内容は以下の通りです。

Ⅰ. 言葉と例文

1 ウォーミングアップ

質問に答えながら、自分の語彙力をチェックしてください。
あなたの現在の語彙力で質問にきちんと答えられますか。

2 言葉

話題に関係する語のリストです。

特にＮ１で学習すべき語は太字で書かれています。

3 語形成

2 言葉に出てきた語が、さらに「語形成」の観点から整理されています。

特にＮ１で学習すべき語は太字で書かれています。

4 例文

2 言葉、**3** 語形成に出てきた語が使われている例文です。

例文を読んで、太字で示した副詞や副詞的表現の使い方も一緒に覚えてください。

Ⅱ. 基本練習

1 導入練習

Ⅰ. 言葉と例文で学んだ語を( )に入れて、文章を完成させる問題です。

ある程度の長さの文章の中で学んだ語がどのように使われるかを覚えてください。

「導入練習」となっていますが、各課が終わった後に復習のために解いてもかまいません。

2 連語～**5** 語形成

それぞれ「連語」「意味」「類義」「語形成」の各観点から語を学んでいきます。

2 連語では、一緒によく使われる語を覚えてください。

Ⅲ. 実践練習

試験と同じ形式の練習問題です。自分の語彙力を確認してください。

20点満点の小テストとしても使えます。

第2部　性質別に言葉を学ぼう

意味、品詞、形式など、語の性質別に語彙の勉強ができるようになっています。

各課の内容は以下の通りです。

Ⅰ. 言葉と例文

1 ウォーミングアップ

その課の語を勉強するときに注意すべきポイントが質問の形で示してあります。

質問に答えながら、その課でこれから何を勉強するのか、考えてみてください。

2 言葉

性質別に分類された語のリストです。例文とともに語を覚えてください。

特にＮ１で学習すべき語は太字で書かれています。

Ⅱ. 基本練習

「連語」「意味」「用法」の各観点で、さまざまな練習を行って、語を学んでいきます。

連語の問題では、一緒によく使われる語を覚えてください。

Ⅲ．実践練習

試験と同じ形式の練習問題です。学んだ語がどれだけ身に付いたか、確認してください。25点満点の小テストとしても使えます。

模擬試験

50点満点の模擬試験が2回分付いています。これまでの日本語能力試験の問題の分析から特に重要と考えられる語を問題として出しています。自分の今の実力を確認してください。

索引

本書で学習する語の語彙リストとしても使えるようになっています。本文での品詞や形に関係なく、その語の一番短い形(辞書に出ている形)で示しています。

（例）

本文		索引
鮮やかに	(p.78) →	鮮やか
うっとうしく	(p.78)	
うっとうしく思う	(p.84) →	うっとうしい

ふりがなが付いていますので、語を暗記する際にも活用できるでしょう。

別冊解答

特に難しいところには、解説(ふりがな付き)が付いています。読んで確認してください。

■記号

Ⅰ．言葉と例文の中で使用する記号です。

A—B　　AとBが反義語であることを表す。

A・B　　AとBが共通の意味、用法、性質を持つことを表す。(類義語など)

A／B　　AとBが別の表現、意味、用法を持つことを表す。
　　　　（例）　反発する・反感を持つ／猛反対する(p.2)

A→B　　BがAに関連の深い語であることを表す。

〔　〕　　〔　〕の中の言葉に当てはまるいろいろな語に入れ替えることができる。

[　]　　語の意味の説明。

■表記

Ⅰ．言葉と例文にはすべてふりがなが付いています。Ⅰ．言葉と例文以外では、特に難しいと思われる漢字を含む語には、ふりがなを付けました。(常用漢字表[昭和56年内閣告示]で扱われていない語を含む。)

■学習時間

自分一人で勉強する場合

ウォーミングアップの後、言葉、語形成、例文などを辞書やインターネットで語を調べながら勉強してください。時間は特に決まっていませんが、語の意味や使い方を十分に確認してから、**基本練習**に進んでください。**第1部の基本練習**と**実践練習**は、それぞれ5分から10分、**第2部の基本練習**と**実践練習**は、それぞれ10分から15分でできるでしょう。問題を解くこと自体よりも、解答や解説を読んでしっかり知識を身に付けることが重要なので、問題を解いた後、十分に時間をかけて、確認していってください。

教室で勉強する場合

ウォーミングアップの後、言葉、語形成、例文などを確認していきます。**第1部**、**第2部**とも確認に30分から50分程度の時間が必要になります。時間がない場合には、言葉、語形成、例文などを、宿題として予習させることもできます。言葉、語形成、例文などがきちんと確認できていれば、**第1部の基本練習**と**実戦練習**は20分から40分程度で、練習と答え合わせができるでしょう。**第2部の基本練習**と**実践練習**は30分から50分程度で、練習と答え合わせができるでしょう。通常であれば、2コマ(1コマあたり45分から50分)の授業で1課進むことができるはずです。予習を前提とすれば、1コマの授業で1課終えることもできるでしょう。

実力養成編 第1部 話題別に言葉を学ぼう

Ⅰ. 言葉と例文 ≫

1 ウォーミングアップ

(1) どんな性格の人が好きですか。どんな人が苦手ですか。

(2) あなたは、どんな性格だと言われたことがありますか。

2 言葉

1. 性格

① ☐☐☐☐ 人が好き―嫌いだ
- 几帳面な―大ざっぱな
- きちっとした
  ―雑な・いい加減な・ルーズな
- 勤勉な・生真面目な―不真面目な
- 品がいい・上品な・気品がある
  ―品が悪い・下品な

- 融通が利く―利かない
- 素直な―頑固な
- 親切な―冷淡な・クールな・ドライな
  冷酷な
- 愛想がいい―悪い・無愛想な
- 社交的な―非社交的な
- 楽観的な―悲観的な

2. 人柄

① ☐☐☐☐ 人柄
- 誠実な・真摯な
- 温和な・寛容な
- 謙虚な
- 気さくな

② 人柄がにじみ出る・表れる

3. 個性

① ☐☐☐☐ 個性
- ユニークな・独特の／強烈な

② 個性が ☐☐☐☐
- 表れる・出る
- 際立つ・目立つ

③ 個性を ☐☐☐☐
- 生かす・磨く・重んじる・育む

4. 人に対する感情・行動

① 〔人〕に ☐☐☐☐
- 懐く・好意を持つ
- 共感する・同情する
- 反発する・反感を持つ／猛反対する
- しっとする
- 気兼ねする

② 〔人〕を ☐☐☐☐
- 慕う／崇拝する
- いたわる／励ます
- 傷つける・中傷する・侮辱する―かばう
- ねたむ
- 軽べつする・あざ笑う

3 語形成

(1) 無〜　　**無愛想　無遠慮**

(2) 〜的　　**社交的　楽観的　悲観的　好意的　個性的**

(3) 〜出る　**にじみ出る　申し出る　届け出る**

(4) 〜じる　**重んじる　軽んじる**　　　(5) 猛〜　**猛反対　猛勉強　猛反省**

4 例文　副詞や副詞的表現と一緒に使った例文を見てみよう。

(1) 何度も事故に遭うなんて、彼女には**心底**同情する。

(2) あの人は**さも**真面目そうにふるまっている。

(3) 彼は誠実だし、優しいし、**まさしく**私の理想の男性だ。

(4) 彼女は**根っから**生真面目な性格で、融通が利かないところがある。

(5) 今は**取りあえず**大ざっぱに説明しますが、後で詳しく教えます。

Ⅱ．基本練習 ≫

1 導入練習

Ⅰ. 言葉と例文の中から適当なものを（　　　）に入れて、文を完成させなさい。始め、または終わりの何文字かはヒントとして示してあります。

　　僕には親友が二人いる。一人は小林君だ。彼は、明るく気さくな（①ひと　　　　　　）で、だれとでもすぐに仲良くなるタイプだ。大学のときは、サッカー部のキャプテンをしていて、先輩からは信頼され、後輩からは（②した　　　　　　）ていた。誰からも（③はん　　　　）を持たれることがない、とてもいいやつだ。

　　もう一人は大村君だ。彼はあまり（④しゃこ　　　　　　）ではなく、ちょっと（⑤ぶあ　　　　　　）なところがある。そのために（⑥ド　　　　　　）な性格だと誤解されることがあるが、実はとても優しいやつだ。僕が元気がないときは、いつも（⑦　　　　　まし）てくれるし、絶対に人を（⑧　　　　　　つける）ようなことはしない。何に対しても真面目で、本当に（⑨し　　　　）な男だと思う。

　　性格の違う二人だが、どちらも僕にとっては大切な親友だ。

---

2 連語 語と語のつながりや使い方を覚えよう。

例のように適当な言葉を線で結びなさい。

(1) お年寄りを・ ・持つ
父親に ・ ・際立つ
個性が ・ ・反発する
好意を ・ ・いたわる

(2) 友人を・ ・磨く
上司に・ ・にじみ出る
個性を・ ・かばう
人柄が・ ・気兼ねする

3 意味 基本的な意味を確認しよう。

▢ の中から適当な言葉を選んで、（　　）に入れなさい。

(1) | 謙虚　気さく　頑固 |

① 愛想がよくて、誰とでも（ 気さく ）に話す。

② 人に注意されたら（ 頑固 ）に反省しよう。

③ （ 謙虚 ）な性格で、自分の思った通りにしないと気が済まない。

(2) | さも　根っから　まさしく |

① 世の中に（ 根っから ）悪い人はいないと思う。

② この写真は（ まさしく ）私が撮ったものです。

③ あの人は何もしなかったくせに（ さも ）自分がすべてやったような顔をする。

4 類義 似た意味の言葉はどれですか。

＿＿＿の言葉に意味が近いほうを選びなさい。

(1) 彼女のファッションはユニークな個性が感じられる。（ おもしろい ⟨独特の⟩ ）

(2) 田中さんは時間にルーズでいつも遅刻する。（ ⟨いい加減⟩ 寛容 ）

5 語形成 接辞や複合語を覚えよう。

正しいものに○を付けなさい。

(1) 留学したいと言ったら、家族に（ ⟨猛⟩ 強　正 ）反対された。

(2) 国民の多くが今回の政府の決定に対して好意（ ⟨的⟩ 性　柄 ）だった。

III. 実践練習 ≫

1. （　）に入れるのに最もよいものを、1・2・3・4から一つ選びなさい。(2点×2)

1 あまり（1）愛想にしていると、冷淡な人だと誤解されてしまうよ。

  (1) 無   2 悪   3 非   4 否

2 この手紙には、あの人の人柄のよさが（3）出ている。

  1 とどけ   2 とび   (3) にじみ   4 もうし

2. （　）に入れるのに最もよいものを、1・2・3・4から一つ選びなさい。(2点×2)

1 二人は、十年以上愛情を（1）きた。

  (1) いかして   2 したって   3 はぐくんで   4 みがいて

2 彼女とは長い付き合いだから、何も（4）する必要がない。

  (1) 気兼ね   2 共感   ＞？   3 軽べつ   (4) 反感

3. ＿＿＿の言葉に意味が最も近いものを、1・2・3・4から一つ選びなさい。(2点×2)

1 山田さんはクールだから、同情してもらおうとしても無駄だ。

  1 厳しい   2 勉強ができる   (3) 冷淡だ   4 怖い

2 彼の真摯（しんし）な態度に感心した。

  1 謙虚な   2 深刻な   3 頑固な   (4) 誠実な

4. 次の言葉の使い方として最もよいものを、1・2・3・4から一つ選びなさい。(4点×2)

1 温和

  1 今日は冬なのに温和で過ごしやすい日ですね。

  2 姉は最近太ってきて、まさしく温和だ。

  (3) 川口さんのご主人は温和な人で、怒ったところを見たことがない。

  4 あの人はいかにも温和そうなセーターを着ている。

2 中傷

  1 このぐらいの傷は中傷だから病院に行く必要はないよ。

  2 中傷的ではなく、もっと具体的に説明してください。

  3 私が試験に落ちたことを、友人が皆に言ってしまった。ひどい中傷だ。

  (4) その雑誌は、事実に基づかない中傷記事を載せることがある。

Ⅰ. 言葉と例文 ≫

1 ウォーミングアップ

(1) 一番仲のよい友達は誰ですか。その人とはいつからの付き合いですか。

(2) 恋愛で楽しかった思い出はありますか。それはどんな思い出ですか。

2 言葉

1. 人間関係	
▶親族	⑧ 先代が亡くなる
① 肉親	▶友人
② おやじ―お袋	① 彼とは □□□□ だ
③ 義理の父母・義父―義母	● 旧知の仲・旧友・幼なじみ
④ 配偶者	● ライバル同士
⑤ □□□□ をもらう	● 同志
● (お) 婿 (さん) ― (お) 嫁 (さん)	▶上下関係
⑥ 妻子を養う	① 師弟
⑦ □□□□ 家庭を築く	② 師匠―弟子
● 円満な	③ 恩師―教え子
● 和やかな	④ 社長／大統領／国王―側近

2. 付き合い	3. 恋愛
① □□□□ の付き合い	① 〔人〕に □□□□
● 家族ぐるみ	● 片思いする
● 十年来	● 告白する・打ち明ける
② 客・来賓を □□□□	● 未練がある
● 接待する	● 執着する
● もてなす	▶その他
③ □□□□ に従う	① 異性にもてる
● 慣習・しきたり・風習	② 浮気する
	③ 心が弾む
	④ 過去を引きずる―気持ちを切り替える

3 語形成

(1) ～同士　ライバル同士　仲間同士　敵同士

(2) ～ぐるみ　家族ぐるみ　町ぐるみ

(3) 打ち～　打ち明ける　打ち解ける

(4) 切り～　切り替える　切り出す　切り上げる

4 例文　副詞や副詞的表現と一緒に使った例文を見てみよう。

(1) 外国からの来賓をもてなすために、**急きょ**京都への旅行を計画した。

(2) **余程**未練があるのか、彼は昔の恋人にまだ執着している。

(3) あこがれていた人に突然告白されて、**どぎまぎ**してしまった。

(4) 先代の社長が**先ごろ**亡くなり、息子さんが新社長に就任なさいました。

II．基本練習 ≫

1 導入練習

I．言葉と例文の中から適当なものを（　　　　）に入れて、文を完成させなさい。始め、または終わりの何文字かはヒントとして示してあります。

> 来月、結婚することになった。相手は（①　　　　　なじみ）のマナブ君だ。彼のうちと私の
> うちは、ずっと（②かぞ　　　　　）の付き合いを続けてきたので、皆とても喜んでいる。私は
> 彼のご両親を昔からよく知っているので、もうすぐ（③ぎ　　　　　）の父母になるかと思うと
> 不思議な感じだ。
>
> 　彼は（④いせ　　　　　）にもてるタイプではないが、誠実で（⑤うわ　　　　　）はしない
> と思う。少し気になるのは、彼が前の彼女にちょっとだけ（⑥みれ　　　　　）がありそうなこ
> とだ。でも、いつまでも過去を（⑦　　　　　ずった）りしないだろう。
>
> 　結婚式には、たくさんのお客さんを招く予定だ。マナブ君と二人で、幸せな家庭を築きたい。

2 連語　語と語のつながりや使い方を覚えよう。

例のように適当な言葉を線で結びなさい。

(1)　客を　　　　　　　接待する
　　　異性に・　　　・引きずる
　　　心が・　　　　・もてる
　　　過去を・　　　・弾む

(2)　婿を・　　　　　・築く
　　　家庭を・　　　・従う
　　　未練が・　　　・もらう
　　　慣習に・　　　・ある

3 意味　基本的な意味を確認しよう。

　□の中から適当な言葉を選んで、（　　　　）に入れなさい。

(1)　| 妻子　来賓　親族 |

　① （　妻子　）のある男性との交際は許されるものではない。

　② 祖父の財産をめぐって（　親族　）が争っている。

　③ A国の大統領を（　来賓　）として迎える。

(2)　| 急きょ　余程　先ごろ |

　① （　先ごろ　）、高校のときの恩師からお手紙をいただきました。

　② 飛行機に異常が見つかり、（　急きょ　）、近くの空港に着陸した。

　③ いつも明るい優子さんが、今日はすっかり沈んでいる。（　余程　）嫌なことがあったん

　　だろう。

4 類義　似た意味の言葉はどれですか。

　＿＿＿の言葉に意味が近いほうを選びなさい。

(1)　家庭が<u>円満</u>であることが何より幸せだ。（　仲がいい　豊かである　）

(2)　最近、若い人々が古くからの<u>しきたり</u>に従わなくなっている。（　実例　風習　）

5 語形成　接辞や複合語を覚えよう。

正しいものに○を付けなさい。

(1)　私たちは子供のころから、ライバル（　同氏　同志　同士　）だった。

(2)　彼女にどう別れ話を切り（　替えて　上げて　出して　）いいのかわからなかった。

III. 実践練習 ≫

1. （　）に入れるのに最もよいものを、1・2・3・4から一つ選びなさい。（2点×2）

1　私の町では、観光客を呼ぶために町（ 1 ）で活動している。

  1　ぐるみ　　　　　2　どうし　　　　　3　だらけ　　　　　4　なじみ

2　あなただけに、私の秘密を打ち（ 1 ）ことにします。

  1　解ける　　　　　2　明ける　　　　　3　込む　　　　　4　切る

2. （　）に入れるのに最もよいものを、1・2・3・4から一つ選びなさい。（2点×2）

1　父は一人で私たち家族五人を（ 4 ）いる。

  1　きずいて　　　　2　はずんで　　　　3　もてなして　　　4　やしなって

2　（ 3 ）の社長が、この会社を大きく発展させた。

  1　師匠　　　　　　2　師弟　　　　　　3　先代　　　　　　4　側近

3. ＿＿＿の言葉に意味が最も近いものを、1・2・3・4から一つ選びなさい。（2点×2）

1　対立する二国間の話し合いは、意外に和やかに始まった。

  1　おごそか　　　　2　おだやか　　　　3　なだらか　　　　4　はなやか

2　片思いしていた人に、いよいよ思いを告白しようと思う。

  1　打ち消そう　　　2　打ち明けよう　　3　白状しよう　　　4　自白しよう

4. 次の言葉の使い方として最もよいものを、1・2・3・4から一つ選びなさい。（4点×2）

1　配偶者

  1　姉はすばらしい配偶者を得ることができて幸せだ。

  2　「これが私の配偶者の美知子です。」

  3　配偶者げんかばかりしていては、子供の教育によくない。

  4　あの二人はもうすぐ配偶者になる予定です。

2　執着

  1　この服が気に入ったけど、サイズが合うかどうか執着してくるよ。

  2　うちの子はなかなか勉強に執着しないから困っている。

  3　いつまでも過去に執着するのはよくない。

  4　観客は選手たちの姿を見つけて執着している。

I. 言葉と例文 ≫

1 ウォーミングアップ

(1) あなたの得意な料理は何ですか。その作り方を説明してください。

(2) 今、どんなところに住んでいますか。周囲にはどんなものがありますか。

2 言葉

1. 料理・食事

▶調理方法
① 米／包丁を研ぐ
② 米を水に浸す
③ 水気をふき取る
④ 小麦粉を練る
⑤ 味が染み込む
⑥ 肉に野菜を添える
⑦ フィルターでこす
⑧ 調理の手際がいい
⑨ 料理のこつをつかむ
⑩ 料理の腕前が上がる

▶食材
① 素材を吟味する
② 自然の恵みを受ける
③ この地方の名産・特産
④ 着色料を使わない

▶飲食
① あめをなめる・しゃぶる
② 肉をかみ切る
③ 食べ物を飲み込む
④ うどんをすする
⑤ 旬の食材を味わう

▶味覚
① ☐☐☐味
　● 本格的な・本場の
　● あっさりした
　　―こってりした
　● 甘口の―辛口の
　● 甘酸っぱい
② ☐☐☐匂い
　● 生臭い
　● こうばしい
　● 焦げ臭い

2. 住居	3. 育児

▶建物
① 屋敷の外観
② 部屋の照明に凝る
③ 廊下がきしむ
④ 家を新築する
⑤ 壊れた家を☐☐☐
　● 再建する
　● 補強する
⑥ 古い橋を改修する

▶環境
① 首都圏で暮らす
② 中央線沿線に住む
③ 駅から徒歩五分
④ 住居を構える
⑤ 治安のいい地域
⑥ 戸締まりをする
⑦ マンションの居住者で組合を結成する

3. 育児
① 誕生を待ち望む
② 子供をしつける
③ おむつを交換する
④ 健やかに育つ
⑤ 育ち盛りの子
⑥ 育児に頭を悩ます
⑦ 育児を放棄する
⑧ 家事を分担する

3 語形成

(1) ～取る　**ふき取る　吸い取る**　　(2) ～料　**着色料　香辛料**　調味料

(3) ～込む　**染み込む　飲み込む　煮込む　放り込む**

(4) **～圏**　**首都圏　生活圏　英語圏**　　(5) **～盛り**　**育ち盛り　食べ盛り　働き盛り**

4 例文　副詞や副詞的表現と一緒に使った例文を見てみよう。

(1) 母は**てきぱき**手際よく料理する。

(2) 肉が軟らかくなるまで**じっくり**煮込む。

(3) 私はうどんやそばを**ずるずる**すする音があまり好きじゃない。

(4) このインスタント食品は着色料や保存料が**一切**使用されていない。

(5) 家の改築費用が高すぎるね。**いっそ**新築しようか。

Ⅱ．基本練習 ≫

1 導入練習

Ⅰ．**言葉**と**例文**の中から適当なものを（　　　）に入れて、文を完成させなさい。始め、または終わりの何文字かはヒントとして示してあります。

　東京に家を（①　　　　　　える）のが私の夢だ。だが、都心で、雰囲気もよく（②ち　　　　　　）もいい町は、土地の値段が高すぎて、サラリーマンの収入では手が出ない。中古の物件を購入して改築すれば、費用はそれほどかからず、（③しん　　　　　）を買うよりははるかに安い。だから、最近は都心に中古の家を購入する若い夫婦も少なくない。だが、都心は（④いく　　　　　　）の環境としてはどうなのだろうか。子供が（⑤　　　　　やか）に育つためにふさわしいのはどこなのか、今、私は頭を（⑥　　　　　まし）ている。

---

2 連語 語と語のつながりや使い方を覚えよう。

例のように適当な言葉を線で結びなさい。

(1) あめを ・　　　 ・ 浸す
　　水に ・　　　 ・ 受ける
　　そばを ・　　　 ・ なめる
　　自然の恵みを ・　　　 ・ すする

(2) 子供を ・　　　 ・ 新築する
　　戸締まりを ・　　　 ・ きしむ
　　家を ・　　　 ・ しつける
　　床が ・　　　 ・ する

3 意味 基本的な意味を確認しよう。

□□□ の中から適当な言葉を選んで、（　　　　）に入れなさい。

(1) | 再建　　補強　　放棄 |

① 地震に備えて、今、校舎の（ 再建 ）工事が行われている。

② 親は、子供に対する責任を（ 補強 ）してはならない。

③ 火災で全焼した寺院が（ 放棄 ）されることになった。

(2) | 一切　　じゃくり　　てきぱき |

① 母が部屋を（ てきぱき ）片付けてくれたので、引っ越しが早く済んだ。

② できるだけよい素材を手に入れようと、シェフは野菜を（ じっくり ）選んでいた。

③ この野菜は農薬を（ 一切 ）使っていないので、安心して食べられる。

4 類義 似た意味の言葉はどれですか。

＿＿＿ の言葉に意味が近いほうを選びなさい。

(1) その料理人は材料をよく吟味して選んでいた。（ 味わって　調べて ）

(2) 古くなった橋を改修する工事が行われた。（ 作り直す　悪いところを直す ）

5 語形成 接辞や複合語を覚えよう。

正しいものに○を付けなさい。

(1) 新しく買った掃除機は、よくごみを（ かみ　吸い　ふき ）取る。

(2) このソースは、香辛（ 味　料　剤 ）をたっぷり使っているから香りがいい。

III. 実践練習 ≫

1. （　）に入れるのに最もよいものを、1・2・3・4から一つ選びなさい。(2点×2)

1 片付ける時間がないので、服をたんすに（4）込んでおこう。

   1 染み   2 飛び   3 飲み   4 放り

2 私の生活（2）には、コンビニが十軒もある。

   1 所   2 圏   3 置   4 囲

2. （　）に入れるのに最もよいものを、1・2・3・4から一つ選びなさい。(2点×2)

1 米の（4）方がよくないと、炊き上がったときにご飯がおいしくない。

   1 こし   2 しゃぶり   3 研ぎ   4 練り

2 （2）さえつかめば、日本料理もそれほど難しくはない。

   1 舌   2 こつ   3 旬（しゅん）   4 手際

3. ＿＿＿＿の言葉に意味が最も近いものを、1・2・3・4から一つ選びなさい。(2点×2)

1 年を取ると、こってりした料理はあまり食べられなくなる。

   1 貴重な   2 濃度の   3 さわやかな   4 しつこい

2 彼のすし職人としての腕前は大したものだ。

   1 筋力   2 技術   3 得意   4 特技

4. 次の言葉の使い方として最もよいものを、1・2・3・4から一つ選びなさい。(4点×2)

1 構える

   1 彼は部屋の内装や照明については、あまり構えなかった。

   2 念願がかなって、銀座に店を構えることができた。

   3 出来上がった料理を皿にきれいに構えた。

   4 二階の和室だったところを構えて、ベランダを作った。

2 本場

   1 彼は、工事の本場によく足を運んで、作業を確認していた。

   2 料理番組の本場が始まっても、彼はまったく緊張せずに、調理を続けた。

   3 家の本場がしっかりしていないと、地震のときに心配だ。

   4 シェフがイタリアで修業してきたので、本場の料理が味わえる。

I. 言葉と例文 ≫

1 ウォーミングアップ

(1) 風邪を引いたとき、どうやって治しますか。

(2) 健康のために、普段何かしていますか。

2 言葉

1. 病気		
① 病気に**感染**する	⑨ ⬚⬚⬚病気	⑤ **便秘気味**になる
② 病気に**立ち向かう**	● **先天的な**	⑥ **自覚症状**が無い
③ 病気の**兆候**に**気付く**	● **慢性の─急性の**	⑦ **寒気**がする
④ 病気の**全快**を祝う	▶**症状**	⑧ ⬚⬚⬚が**起こる**
⑤ **過労**がもとで**発病**する	① 肩が**凝る**	● **腹痛**
⑥ **持病**がある	② **関節**が**外れる**	● **けいれん**
⑦ 体の**不調**を**訴える**	③ まぶたが**はれる**	● **発作**
⑧ **栄養失調**になる	④ ⬚⬚⬚が**出る**	
	● **高熱─微熱**	

2. 治療		
① 病気を**治療**する	⑦ 適切な**処置**を取る	▶**薬**
② **通院**する	⑧ 病人を**介抱**する	① **胃腸薬**を**処方**する
③ **往診**に来てもらう	⑨ 痛いところを**さする**	② **患部**に薬を**塗る**
④ **聴診器**で胸の音を聞く	⑩ 痛みを**和らげる**	③ 薬の**効き目**が切れる
⑤ **点滴（注射）**をする	⑪ **面会謝絶**になる	④ 薬の**副作用**が**現れる**
⑥ **応急処置**をする	⑫ **安静**を**保つ**	

3. 健康		
① ⬚⬚⬚を**心掛ける**	② 健康を ⬚⬚⬚	③ **不摂生**な**生活**は**禁物**だ
● **早寝早起き**	● **維持**する	④ **頑丈**そうな**体つき**
● **水分**の**補給**	● **害**する・**損なう**	⑤ **体力**が**衰える**
● バランスの**取れた食生活**	● **増進**する	⑥ **細胞**が**老化**する
	● **取り戻す**	

3 語形成

(1) 立ち〜　**立ち向かう　立ち寄る**
(2) **〜目　効き目　結び目　切れ目**
(3) 副〜　**副作用　副社長**
(4) 取り〜　**取り戻す　取り返す**
(5) 不〜　**不摂生　不健康**
(6) **〜つき　体つき　顔つき**

4 例文　副詞や副詞的表現と一緒に使った例文を見てみよう。

(1) 転んでできたすり傷が**ひりひり**痛む。
(2) 頭が**ずきずき**痛いし、のどもはれているから、きっと風邪だ。
(3) ストレスを感じると、胃が**きりきり**痛む。
(4) 高熱で頭が**くらくら**する。
(5) 二日酔いで頭が**がんがん**する。
(6) 胃が**むかむか**するので、胃腸薬を飲んだ。
(7) 山口さんは胃がんの手術をしてから**げっそり**やせてしまった。

Ⅱ. 基本練習　≫

1 導入練習

Ⅰ. 言葉と例文の中から適当なものを（　　　　）に入れて、文を完成させなさい。始め、または終わりの何文字かはヒントとして示してあります。

　この前、仕事中に急に頭が（①くら　　　　　　）し始め、同時に（②さむ　　　　　　）もしてきたので、職場を早退して病院へ行った。病院の先生は（③ちょうし　　　　　　）で胸の音を聞いたり、のどが赤く（④は　　　　　　）ていないかなどを見てから、（⑤てん　　　　　　）をしてくれた。どうやら、（⑥ふせっ　　　　　　）な生活が続き、体力が（⑦　　　　　ろえ）ていたせいで、インフルエンザにかかってしまったらしい。先生は薬を（⑧しょ　　　　　　）した後、しばらく自宅で（⑨あん　　　　　　）にするようにと言った。

　夜、同僚の田村さんが心配して、私の家まで様子を見に来てくれた。私は（⑩こう　　　　　　）を出して寝込んでいたけれど、田村さんがいろいろと世話をしてくれた。うれしかったが、田村さんがインフルエンザに（⑪　　　　　せん）していないか心配だ。

2 連語　語と語のつながりや使い方を覚えよう。

例のように適当な言葉を線で結びなさい。

(1)　頭が　　　　　・凝る
　　　胃が　　・　　・する
　　　寒気が　・　　・むかむかする
　　　肩が　　・　　・くらくらする

(2)　体力が・　　　・起こる
　　　高熱が・　　・老化する
　　　発作が・　　・落ちる
　　　細胞が・　　・出る

3 意味　基本的な意味を確認しよう。

☐の中から適当な言葉を選んで、（　　　　）に入れなさい。

(1)　| ひりひり　　げっそり　　がんがん |

　① 慢性の頭痛でいつも頭が（がんがん）している。

　② シャワーを浴びたら、傷が（ひりひり）痛んだ。

　③ 田中さんは最近忙しいらしく、（げっそり）やせてしまった。

(2)　| 感染　　兆候　　増進 |

　① 体力（増進）のために、毎朝ジョギングをしている。

　② 病気の（兆候）に気付いて、病院へ行った。

　③ 私のコンピューターがウイルスに（感染）してしまった。

4 類義　似た意味の言葉はどれですか。

＿＿＿の言葉に意味が近いほうを選びなさい。

(1)　彼は健康を<u>害して</u>、入院している。（　邪魔して　　(損なって)　）

(2)　<u>不摂生</u>な生活を続け、とうとう病気になってしまった。（　(不健康)　不衛生　）

5 語形成　接辞や複合語を覚えよう。

正しいものに〇を付けなさい。

(1)　カニは、はさみで殻に（　(切れ)　結び　効き　）目を入れるとむきやすい。

(2)　ジョギングを始めてから、（　(体)　顔　目　）つきが頑丈そうになってきた。

III. 実践練習 ≫

1. （　　）に入れるのに最もよいものを、1・2・3・4から一つ選びなさい。(2点×2)

1 この薬はよく効くが、（ 3 ）作用が心配だ。

   1 反　　　　　　2 逆　　　　　　3 副　　　　　　4 非

2 健康を取り（ 1 ）ため、食事に気を付け、適度に運動するようにしている。

   1 扱う　　　　　2 入れる　　　　3 返す　　　　　4 戻す

2. （　　）に入れるのに最もよいものを、1・2・3・4から一つ選びなさい。(2点×2)

1 事故で大けがをしたが、初めの（ 1 ）が適切だったので助かった。

   1 処置　　　　　2 処分　　　　　3 処方　　　　　4 処理

2 健康を（ 1 ）するために、野菜中心の食事を心掛けている。

   1 維持　　　　　2 継続　　　　　3 保養　　　　　4 保存

3. 　　　　の言葉に意味が最も近いものを、1・2・3・4から一つ選びなさい。(2点×2)

1 痛みを和らげるための薬を飲んだ。

   1 飽和する　　　2 緩和する　　　3 温和する　　　4 調和する

2 年齢のせいか、最近めっきり体力が衰えてきた。

   1 落ち着いて　　2 消費して　　　3 消耗して　　　4 弱まって　?

4. 次の言葉の使い方として最もよいものを、1・2・3・4から一つ選びなさい。(4点×2)

1 頑丈

   1 この箱は頑丈だから、人が上に乗っても大丈夫です。

   2 あのチームは守備が頑丈で、なかなか点が取れない。

   3 子供のころから目が頑丈で、暗いところでもよく見える。

   4 そんなに頑丈に怒っていないで、素直に謝ったほうがいいよ。

2 禁物

   1 会場内でのたばこは禁物させていただきます。

   2 飛行機に乗るときの禁物は、液体やナイフなどです。

   3 病気のときに酒を飲むのは禁物だ。

   4 お巡りさんが、道路で駐車違反を禁物している。

3章　芸術・スポーツ

Ⅰ．言葉と例文 ≫

1 ウォーミングアップ

(1) あなたの国ではどんな芸術が盛んですか。日本の芸術といえば何が思い浮かびますか。

(2) あなたの国で人気があるスポーツは何ですか。

2 言葉

1. 芸術

▶文芸

① 〜氏の著書・作品
② 独創的な・ユニークな作品
③ 原文のニュアンスを生かした訳
④ 詩を朗読する
⑤ 書評を読む
⑥ ⬚を刊行する
 ● 長編小説—短編小説
 ● 戯曲
 ● 文庫本／新書
 ● 初版／改訂版
 ● 〜著の待望の新刊

▶音楽

① ⬚曲
 ● 重厚な—軽快な
② 音楽一筋に打ち込む
③ 美しい音色が響く
④ 音が反響する
⑤ 楽譜をめくる
⑥ 歌の一節を口ずさむ
⑦ 盛大な拍手が沸き起こる

▶美術

① ⬚作風
 ● 繊細な—大胆な
② 丁寧な描写

▶ ③ 壮大な建築物
④ 画廊で個展を開く
⑤ 伝統的な⬚
 ● 手芸／織物／刺しゅう
 ● 陶芸
⑥ 精巧な彫刻
⑦ 作者の意図を読み取る

▶その他

① 茶道をたしなむ
② 花を生ける
③ ⬚を鑑賞する
 ● オペラ／歌舞伎

2. スポーツ

① 試合を観戦する
② 観客席から声援を送る
③ 練習に励む
④ ⬚を守る
 ● 規約・規定
⑤ ⬚戦術
 ● 巧みな・巧妙な

⑥ 作戦を練る
⑦ 大会を制する
⑧ チームの⬚が強い
 ● 結束・連帯
⑨ 最近、成績が不振だ
⑩ 将来が有望な選手
⑪ 人材を⬚
 ● 育成する・養成する

⑫ 敵に⬚
 ● 圧勝する—完敗する
 ● 反撃する
⑬ 強豪を相手に⬚
 ● 健闘する・奮闘する
⑭ 敵を⬚
 ● 負かす・圧倒する

---

3 語形成

(1) **～版**　初版　改訂版　第三版

(2) **～込む**　打ち込む　落ち込む　意気込む

(3) **沸き～**　沸き起こる　沸き上がる

(4) **～取る**　読み取る　くみ取る

4 例文　副詞や副詞的表現と一緒に使った例文を見てみよう。

(1) 平日の昼間なので、映画館の客席は**がらんと**していた。

(2) 彼女は新しい楽譜を**ぱらぱら**めくってみた。

(3) 山田さんは美術展に作品を出展するため、**一心に**創作に打ち込んでいる。

(4) この絵は繊細で優しくて、**いかにも**彼らしい作品だ。

Ⅱ．基本練習　≫

1 導入練習

Ⅰ．**言葉と例文の中から適当なものを（　　）に入れて、文を完成させなさい。始め、または終わりの何文字かはヒントとして示してあります。**

（①しょ　　　　　　　）：田中ひろし著『ギリシャの風』(ニチニチ出版)

　これは、三年間作品を発表してこなかった田中氏の（②　　　　ぼう）の（③しん

　　　）となる（④ちょうへ　　　　　）である。ある雑誌のインタビューによると、その間、田中

氏は本作の主題となる古代ギリシャ史に関する調査に（⑤うち　　　　）でいたそうだ。もと

もと、（⑥だ　　　　　）な作風だったが、そこに調査に基づいた丁寧な（⑦　　　　　しゃ）が

加わって、（⑧そう　　　　　）な歴史物語となっている。今までにない、非常に（⑨どく

　　　）な作品と言えるだろう。

2 連語　　語と語のつながりや使い方を覚えよう。

例のように適当な言葉を線で結びなさい。

(1)　盛大な・　　　　・戦術
　　　巧みな・　　　　・彫刻
　　　精巧な・　　　　・拍手
　　　有望な・　　　　・選手

(2)　茶道を・　　　　・送る
　　　歌を　・　　　　・たしなむ
　　　作戦を・　　　　・練る
　　　声援を・　　　　・口ずさむ

3 意味　　基本的な意味を確認しよう。

￣￣￣の中から適当な言葉を選んで、（　　　）に入れなさい。

(1)　| 文庫本　　戯曲　　原文 |

　　① 有名な（　戯曲　）を映画にする。

　　②（　原文　）は持ち歩くのに便利だ。

　　③ フランス語を勉強して、この作品を（文庫本）で読みたい。

(2)　| がらんと　　いかにも　　ぱらぱら |

　　① この軽快な曲は（いかにも）彼の作品らしい。

　　② ベッドに寝ながら雑誌を（ぱらぱら）めくる。

　　③ 引っ越しのために荷物を全部運び出すと、部屋は（がらんと）してしまった。

4 類義　　似た意味の言葉はどれですか。

＿＿＿＿の言葉に意味が近いほうを選びなさい。

(1)　日本経済は不振が続いている。（　不調　不安　）

(2)　昔から、この町は人々の結束が強い。（　結論　連帯　）

5 語形成　　接辞や複合語を覚えよう。

正しいものに○を付けなさい。

(1)　彼の演奏が終わったとたん、会場から拍手が沸き（　起こった　起きた　上げた　）。

(2)　来年、この辞書の改訂（　書　版　刊　）が刊行される予定だ。

III. 実践練習 ≫

1. （　　）に入れるのに最もよいものを、1・2・3・4から一つ選びなさい。(2点×2)

1 あの選手は、最近、成績が不振で（　）込んでいるようだ。

　　1　打ち　　　　　2　追い　　　　　3　落ち　　　　　4　取り

2 相手の表情から気持ちを読み（　）のは難しい。

　　1　入れる　　　　2　取る　　　　　3　込む　　　　　4　出す

2. （　　）に入れるのに最もよいものを、1・2・3・4から一つ選びなさい。(2点×2)

1 そのチームは、力強いプレーで敵を（　）。

　　1　圧倒した　　　2　完敗した　　　3　健闘した　　　4　反撃した

2 俳優が有名な詩を（　）のを聞きに行った。

　　1　朗読する　　　2　刊行する　　　3　鑑賞する　　　4　描写する

3. ＿＿＿の言葉に意味が最も近いものを、1・2・3・4から一つ選びなさい。(2点×2)

1 若い選手たちは、一心に練習に励んでいた。

　　1　一緒に　　　　2　熱心に　　　　3　正直に　　　　4　単純に

2 ここは教師を養成するための学校です。

　　1　育成する　　　2　就職する　　　3　成功する　　　4　製造する

4. 次の言葉の使い方として最もよいものを、1・2・3・4から一つ選びなさい。(4点×2)

1 巧妙

　　1　山口さんは歌が巧妙なので、歌手になれるかもしれない。

　　2　父は巧妙で、何でも自分で作ってくれる。

　　3　犯人は、巧妙なやり方でクレジットカードの番号を手に入れた。

　　4　動物は、人間よりも巧妙な自然の変化によく気が付く。

2 口ずさむ

　　1　人の悪口は口ずさまないほうがいい。

　　2　たくさんの人の前で詩を口ずさむのは緊張する。

　　3　あんなひどい事故のことは、もう二度と口ずさむのも嫌だ。

　　4　高校生のころ好きだった歌は、今でも思わず口ずさんでしまう。

Ⅰ. 言葉と例文　≫

1 ウォーミングアップ

(1)　あなたの国にはどんな学校がありますか。そこでは何が勉強できますか。

(2)　あなたはこれまでどんな学校で何を学んできましたか。

2 言葉

1. 教育・制度

▶**中等教育**	②　□□□校風	⑤　**質疑応答**を行う
①　**中高一貫**の学校	●　**保守的**な—**革新的**な	⑥　□□□課程で学ぶ
②　**男子校**—**女子校**	●　**厳格**な	●　**学士／修士／博士**
③　**男女共学**	—**自由**な・**リベラル**な	▶**試験**
▶**高等教育**	▶**授業／講義**	①　□□□を**受ける**
①　**四年制大学**	①　**講義**を**受講**する	●　**筆記試験**
②　**短期大学**→**短大**	②　**ゼミ**を**聴講**する	●　**口述試験**
③　**大学院**	③　□□□を**取る**	●　**実技試験**
▶**その他**	●　**必修科目**—**選択科目**	
①　**塾／予備校／専門学校**	④　**文献**を**講読**する	

2. 学校生活

▶**学生生活**	▶**研究**	▶**発表・プレゼンテーション**
①　**学問**を**志す**	①　**先行研究**を**参照**する	①　**調査**の**手順**を**箇条書き**にする
②　**模範的**な**学生**	②　**専門用語**を**定義**する	②　**緊張**して**まごつく**
③　**奨学金**を**授与**される	③　**努力**が**台無し**になる	③　**簡潔**にまとめる
④　**入学金**を**免除**される	④　**実践的**な**研究**	④　**有益**な**指摘**を**受ける**
⑤　□□□を**振り込む**	⑤　**文**の**意味**を**類推**する	▶**その他の活動**
●　**学費・授業料**	⑥　**権威**のある**学説**	①　**同級生**と**課外活動**に行く
⑥　**病気**で**休学**する	⑦　**今後**の**課題**とする	②　**修学旅行**に行く
⑦　**非行**に走る		③　**級友**と**雑談**する
		④　**同窓会**に**出席**する

3 語形成

(1) ～校　　**予備校　中高一貫校**　男子校　女子校

(2) ～制　　**四年制**　会員制　予約制

(3) ～金　　**奨学金**　入学金

(4) ～書き　**箇条書き　前書き**　縦書き　横書き

(5) ～活動　**課外活動　ボランティア活動**　クラブ活動

4 例文　副詞や副詞的表現と一緒に使った例文を見てみよう。

(1) 発表の準備は十分でも、**いざ**本番となると緊張してしまう。

(2) 田村さんは若そうだから、**てっきり**大学生かと思い込んでいた。

(3) 学生のころにもっと勉強しておけばよかったと、今になって**つくづく**思う。

(4) 山田先生はゼミのとき、**延々と**雑談ばかりする。

Ⅱ. 基本練習 ≫

1 導入練習

Ⅰ. 言葉と例文の中から適当なものを（　　　　）に入れて、文を完成させなさい。始め、または終わりの何文字かはヒントとして示してあります。

　田中さんは、自由な（①こ　　　　　　）で知られる（②　　　　　　いっかん）の男子校の出身者だ。大学受験は一年目は失敗して（③よび　　　　　）に通ったものの、次の年には見事に志望校に合格した。彼は子供のころから、教師になることを（④　　　　　ざし）ていたので、教育学部に進学した。成績はいつも優秀で、（⑤もは　　　　　　）な学生でもあったので、（⑥しょう　　　　　　）をもらっている。

　さらに、彼は、（⑦かが　　　　　）にも熱心に取り組んでいる。週末には子供たちと一緒に運動をしたり、ゲームをしたりするボランティア活動に参加していて、年中忙しそうにしている。こんな彼はまさに優等生と言えるだろう。

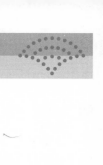

2 連語 語と語のつながりや使い方を覚えよう。

例のように適当な言葉を線で結びなさい。

(1) 文献を ・ ・定義する
    専門用語を・ ・志す
    学問を ・ ・聴講する
    ゼミを ・ ・講読する

(2) 同窓会に ・ ・類推する
    実技試験を・ ・出席する
    意味を ・ ・走る
    非行に ・ ・受ける

3 意味 基本的な意味を確認しよう。

◯◯◯の中から適当な言葉を選んで、（　　　）に入れなさい。

(1) | 指摘　　授与　　免除 |
    ① 間違いを人に（ 指摘 ）されるのはあまり気持ちのいいものではない。
    ② 成績優秀者は入学金を半分（ 授与 ）される。
    ③ 実技試験に合格した者だけが資格を（ 免除 ）される。

(2) | 延々と　　てっきり　　つくづく |
    ① 授業をサボった上に人の宿題を写して出すとは、（ つくづく ）あきれたやつだ。
    ② 期末試験があるから、（ てっきり ）レポートはないと思ってたのに……。
    ③ 昼休みになると、学食の前に（ 延々と ）長い行列ができるのにはうんざりする。

4 類義 似た意味の言葉はどれですか。

＿＿＿の言葉に意味が近いほうを選びなさい。

(1) もっと簡潔に説明してください。（ 短くわかりやすく　　細かく詳しく ）

(2) 先輩と電話で雑談をした。（ 相談　おしゃべり ）？

5 語形成 接辞や複合語を覚えよう。

正しいものに◯を付けなさい。

(1) 彼は大学に入る前、予備（ 学　校　塾 ）で一年間勉強した。

(2) 奨学（ 料　金　費 ）をもらって、高校に通っている。

III. 実践練習 ≫

1. （　）に入れるのに最もよいものを、1・2・3・4から一つ選びなさい。(2点×2)

1 メモは、長い文章ではなく（　3　）書きにすると見やすい。

　　1　前　　　　　　　2　横　　　　　　　③　箇条　　　　　　4　縦

2 ここは会員（　1　）で、とても高級なレストランだ。

　　1　制　　　　　　　2　勢　　　　　　　3　権　　　　　　　4　証

2. （　）に入れるのに最もよいものを、1・2・3・4から一つ選びなさい。(2点×2)

1 その先生はこの分野の（　1　）で、多くの学生が先生の研究室に集まっている。

　　①　権威　　　　　　2　権利　　　　　　3　権力　　　　　　4　実力

2 いろいろな文献を（　4　）して、卒論を書いた。

　　1　参加　　　　　　2　参照　　　　　　3　参上　　　　　　4　参考

3. ＿＿＿＿の言葉に意味が最も近いものを、1・2・3・4から一つ選びなさい。(2点×2)

1 新入生なので、まごつくことも多い。

　　1　あせる　　　　　2　つかれる　　　　③　まよう　　　　　4　やぶれる

2 カンニングなんかで、君の学生生活を台無しにしてもいいのか。

　　1　あと　　　　　　2　だめ　　　　　　3　ばか　　　　　　4　もと

4. 次の言葉の使い方として最もよいものを、1・2・3・4から一つ選びなさい。(4点×2)

1 志す

　　1　彼は小さいころから一つ上の彼女のことを志していた。

　　2　川口君が大学に合格することを私は志してやまないよ。

　　③　彼は十歳のときから、研究者になることを志していた。

　　4　自分の力だけで研究ができるか、志してみた。

2 厳格

　　1　厳格に言えば、二つの数値はわずかに異なっていた。

　　②　彼は、保守的な考えを持った親の下で、厳格に育てられたようだ。

　　3　こんな問題も解けないようでは、教師の厳格もあったものではない。

　　4　貴重品があったので、金庫にしまって厳格にかぎを閉めた。

5章　仕事

I. 言葉と例文 ≫

1 ウォーミングアップ

(1) あなたはどんな仕事をしたいですか。

　　今、どんな仕事をしていますか。

(2) あなたの国ではどんな仕事が人気がありますか。それはどうしてですか。

2 言葉

---

1. 仕事

① 仕事を ☐
- **手掛ける**
- **委託**する
- **おろそかに**する

② 仕事が ☐
- **はかどる・順調に進む**

③ 仕事に ☐
- **取り掛かる**
- **打ち込む・全力で取り組む**

▶**役職・地位・ポスト**

① ☐ に**昇進**する
- **主任／係長／課長／次長／部長**
- **役員／重役／取締役**

---

② ☐ の職員・社員
- **常勤―非常勤**
- **正規―非正規**

▶**部署・セクション**

① ☐ 部／課
- **企画／開発／広報／経理／営業**

▶**その他**

① 海外に**赴任**する・**赴く**
② 広報部から企画部に**転任**になる
③ **報酬**を得る
④ **多忙**を**極める**
⑤ 商店を**営む**
⑥ **勤続**四十年で**退職**する
⑦ 今は**不景気・不況**だ

---

2. 職業

▶**法律　検事／弁護士／裁判官**

▶**医療　医師／歯科医／助産師／**
　　　　介護福祉士→介護士

▶**土木／建築　建築士／技師**

▶**宗教関係　僧（りょ）／神主／神父／牧師**

▶**その他　会計士／税理士／消防士／実業家／**
　　　　コンサルタント／占い師／探偵／
　　　　家政婦／板前

---

3. 就職・求人

① 社員を**公募**する
② **求人広告**を見る
③ 会社に**履歴書**を**送付**する
④ **採用試験**を**突破**する
⑤ ☐ を**雇う・雇用**する―**解雇**する
- **正社員**
- **派遣社員／契約社員**

---

3 語形成(ごけいせい)

(1) **取(と)り〜**　　**取(と)り掛(か)かる**　取(と)り上(あ)げる　取(と)り組(く)む

(2) **非(ひ)〜**　　**非常勤(ひじょうきん)**　**非正規(ひせいき)**　　(3) **〜士(し)**　　**介護福祉士(かいごふくしし)**　**建築士(けんちくし)**　**弁護士(べんごし)**

(4) **〜官(かん)**　　**裁判官(さいばんかん)**　**警察官(けいさつかん)**　**外交官(がいこうかん)**　　(5) **〜師(し)**　　**助産師(じょさんし)**　**占(うらな)い師(し)**　**看護師(かんごし)**

(6) **〜家(か)**　　**実業家(じつぎょうか)**　**投資家(とうしか)**　**資本家(しほんか)**　　(7) **〜社員(しゃいん)**　　**正社員(せいしゃいん)**　**派遣社員(はけんしゃいん)**

4 例文(れいぶん)　　副詞(ふくし)や副詞的表現(ふくしてきひょうげん)と一緒(いっしょ)に使(つか)った例文(れいぶん)を見(み)てみよう。

(1) 彼(かれ)は仕事(しごと)を**着々(ちゃくちゃく)と**こなしている。

(2) 今日(きょう)は調子(ちょうし)がよくて、仕事(しごと)が**どんどん**はかどる。

(3) 社員全員(しゃいんぜんいん)が一(ひと)つの目標(もくひょう)に向(む)かって**まっしぐら**に進(すす)んでいる。

(4) 不正(ふせい)を行(おこな)ったことがわかった職員(しょくいん)は、**即刻(そっこく)**解雇(かいこ)された。

Ⅱ．基本練習　≫

1 導入練習(どうにゅうれんしゅう)

Ⅰ．言葉(ことば)と例文(れいぶん)の中(なか)から適当(てきとう)なものを（　　　）に入(い)れて、文(ぶん)を完成(かんせい)させなさい。始(はじ)め、または終わりの何文字(なんもじ)かはヒントとして示(しめ)してあります。

　近年(きんねん)の景気(けいき)の悪化(あっか)に伴(ともな)って、若者(わかもの)の（①こよ　　　　　　　）情勢(じょうせい)も悪化(あっか)している。大学三年(だいがくさんねん)のときから就職活動(しゅうしょくかつどう)に取(と)り組(く)んでも、なかなか職(しょく)に就(つ)けない人(ひと)も多(おお)い。ようやく試験(しけん)を（②　　　　　　ぱ）できても、正社員(せいしゃいん)ではなく契約社員(けいやくしゃいん)などの（③ひせ　　　　　　）の職(しょく)しかない場合(ばあい)もある。また、会社(かいしゃ)の経営不振(けいえいふしん)のために突然(とつぜん)（④かい　　　　　　）されるなどの問題(もんだい)も起(お)こっているという。

　そんな中(なか)で人気(にんき)が高(たか)いのは、職(しょく)が安定(あんてい)していると言(い)われる公務員(こうむいん)だ。また、最近(さいきん)、日本(にほん)は高齢化(こうれいか)が進(すす)んでいるため、（⑤かい　　　　　　）や（⑥かん　　　　　　）の求人(きゅうじん)も増(ふ)えているという。

---

2 連語　語と語のつながりや使い方を覚えよう。

例のように適当な言葉を線で結びなさい。

(1)　多忙を・　　　・得る
　　　海外に・　　　・赴任する
　　　報酬を・　　　・営む
　　　商店を・　　　・極める

(2)　仕事が・　　　・手掛ける
　　　仕事を・　　　・はかどる
　　　仕事に・　　　・雇う
　　　社員を・　　　・取り掛かる

3 意味　基本的な意味を確認しよう。

☐ の中から適当な言葉を選んで、（　　　）に入れなさい。

(1)　| 委託　　公募　　退職 |

　① 三十八年間勤めた会社を明日で（ 退職 ）する。

　② 来月から電話の受付業務を専門の会社に（ 委託 ）することになった。

　③ 新しい店のオープンに向けて、新たにアルバイトを（ 公募 ）する。

(2)　| 即刻　　着々と　　まっしぐらに |

　① プレゼンテーションの準備は（ まっしぐら ）進んでいる。　着々と　まっしぐらに

　② 病気の母が心配で、仕事が終わると（ 即刻 ）家に帰った。

　③ そんなひどい会社は（ 着々と ）辞めるべきだ。

4 類義　似た意味の言葉はどれですか。

＿＿＿ の言葉に意味が近いほうを選びなさい。

(1)　彼は最近自分の研究に打ち込んでいる。（ 熱中して　がっかりして ）

(2)　山本さんが手伝ってくれたので、作業がはかどった。（ 終わった　進んだ ）

5 語形成　接辞や複合語を覚えよう。

正しいものに○を付けなさい。

(1)　消防（ 家　者　士 ）は、命の危険も伴う仕事だ。

(2)　多くの投資（ 家　師　士 ）は、景気の動向に対して悲観的な見方をしている。

REVIEW

12/**20点**

III. 実践練習 ≫

1. （　）に入れるのに最もよいものを、1・2・3・4から一つ選びなさい。(2点×2)

1 太陽光発電は、我が社が十年来、取り（　）続けている課題だ。
1　上げ　　　　2　替え　　　　3　掛かり　　　　4　組み

2 介護福祉（　）の労働条件の改善が求められている。
1　員　　　　2　官　　　　3　士　　　　4　家

2. （　）に入れるのに最もよいものを、1・2・3・4から一つ選びなさい。(2点×2)

1 山田さん、課長（　）、おめでとう。
1　向上　　　　2　昇進　　　　3　上昇　　　　4　上達

2 田中部長はときどき自ら支店に（　）、店の様子をチェックした。
1　おもむき　　　　2　たまり　　　　3　はかどり　　　　4　たずさわり

3. ＿＿＿＿の言葉に意味が最も近いものを、1・2・3・4から一つ選びなさい。(2点×2)

1 三次面接を突破できれば、もう受かったようなものだ。
1　通過　　　　2　通勤　　　　3　通行　　　　4　開通

2 計画が順調に進めば、明日の朝から工事に取り掛かることができます。
1　急速に　　　　2　順番に　　　　3　調子よく　　　　4　愛想よく

4. 次の言葉の使い方として最もよいものを、1・2・3・4から一つ選びなさい。(4点×2)

1 おろそか
1　人を傷つけるようなおろそかな行為はやめなさい。
2　最近、勉強をおろそかにする学生が多く、困っている。
3　彼は細かいことにはこだわらない、おろそかな性格をしていた。
4　彼女はおろそかにした性格で、何をするにも面倒くさがった。

2 転任
1　今の仕事が嫌になったので、彼は転任を考えている。
2　会社を辞めて、田舎で農業に転任することにした。
3　その野球チームは、大阪、神戸、広島と転任して、試合を続けた。
4　営業部への転任をずっと希望していたが、それがようやく実現した。

5章　仕事　29

6章　メディア

I. 言葉と例文 ≫

1 ウォーミングアップ

(1) インターネットを利用して何をしますか。

(2) 普段、インターネットや新聞やテレビなどからどのような情報を得ますか。

2 言葉

---

1. インターネット

① インターネットで ☐
 ● 検索する
 ● 動画を見る
② ウェブサイトに掲載する
③ ホームページを閲覧する

④ ブログを更新する
⑤ （電子）掲示板に ☐
 ● 書き込む・投稿する
 → 書き込み

---

2. マスコミ

▶新聞／雑誌
① 新聞／雑誌を ☐
 ● 購読する
 ● 創刊する
② 新聞を一部買う
③ 販売部数が減少する
④ 週刊誌を読む
⑤ 新聞の求人欄を見る
⑥ 今月号の特集を見る
⑦ 評判がいい
⑧ 記事が ☐
 ● 好評を博す—不評を買う

▶テレビ・ラジオ
① マスコミがニュースを ☐
 ● 報道する・報じる
② ニュースで取り上げる
③ ニュース速報が流れる
④ マラソン大会の会場から中継する
⑤ ☐ が下火になる
 ● 話題／人気
⑥ ドキュメンタリー番組を制作する
⑦ ☐ を放映する
 ● 映画／番組
⑧ 衛星放送を見る
⑨ オーバーな宣伝が流れる
⑩ 誇張した表現をする
⑪ 放送局に勤める
⑫ ニュースキャスターがニュースを読む

---

3 語形成

(1) **電子～** 電子掲示板　電子辞書

(2) **～部数** 販売部数　印刷部数

(3) **～部** 一部　二部

(4) **～誌** 週刊誌　月刊誌　専門誌

(5) **～欄** 求人欄　投稿欄　コラム欄

(6) **～号** 今月号　創刊号　最新号

(7) **取り～** 取り上げる　取り入れる

(8) **～速報** ニュース速報　地震速報

(9) **～番組** ドキュメンタリー番組　クイズ番組　料理番組

(10) **～放送** 衛星放送　生放送

(11) **～局** 放送局　テレビ局　ラジオ局

4 例文　副詞や副詞的表現と一緒に使った例文を見てみよう。

(1) マスコミはそのニュースを**大々的**に取り上げた。

(2) インターネットで**早速**検索してみた。

(3) 彼はブログを**頻繁**に更新している。

(4) 新しいニュースが**続々**と入る。

II．基本練習 ≫

1 導入練習

I．**言葉と例文**の中から適当なものを（　　　）に入れて、文を完成させなさい。始め、または終わりの何文字かはヒントとして示してあります。

> 　私はよくインターネットで料理の作り方を（①　　　　　さく）する。料理のレシピはたくさんのウェブサイトに（②　　　　さい）されている。その中のレシピを見て料理を作った人が、味や、工夫してみたことなどについてコメントを（③　　　　　こんで）いるので、それも参考になる。雑誌にも料理の作り方は載っている。どちらも便利だが、雑誌の季節の食材を使った（④とく　　　　　　）は近くに置いていつまでも使えるので、雑誌のほうがいいと言う人もいる。一方でウェブサイトのレシピは食材から検索できる点が（⑤ひょう　　　　　　）がいい。

2 連語　語と語のつながりや使い方を覚えよう。

例のように適当な言葉を線で結びなさい。

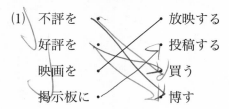

(1)　不評を・　　・放映する
　　　好評を・　　・投稿する
　　　映画を・　　・買う
　　　掲示板に・　　・博す

(2)　雑誌を・　　・流れる
　　　結婚を・　　・下火になる
　　　人気が・　　・報じる
　　　宣伝が・　　・購読する

3 意味　基本的な意味を確認しよう。

──── の中から適当な言葉を選んで、（　　　）に入れなさい。

(1)　| 閲覧する　　掲載する　　更新する |

　① 雑誌に特集記事を（ 掲載する ）。

　② 田村さんは自分のブログを毎日（ 更新する ）。

　③ 国立国会図書館で明治時代の資料を（ 閲覧 ）。

(2)　| 続々と　　大々的に　　早速 |

　① 試合開始前になり、競技場に観客が（ 大々的に ）集まってきた。

　② 今話題になっている雑誌の最新号が出たので、（ 早速 ）買って読んだ。

　③ そのゲーム機は間もなく（ 続々と ）売り出される予定だ。

4 類義　似た意味の言葉はどれですか。

──── の言葉に意味が近いほうを選びなさい。

(1)　お昼になって、レストランに続々とお客が入ってきた。（　徐々に　　次々に　）

(2)　宣伝はオーバーだが、実際はそれほどでもない。（　大げさ　　大量　）

5 語形成　接辞や複合語を覚えよう。

正しいものに○を付けなさい。

(1)　週刊誌の創刊（　誌　号　巻　）を買う。

(2)　今、（　生　新　再　）放送で、キャスターがサッカーの試合を現場から中継している。

III．実践練習 ≫

1．（　　）に入れるのに最もよいものを、1・2・3・4から一つ選びなさい。(2点×2)

1 その週刊誌は王子の結婚のニュースを大きく取り（　）。

   1　上げた　　　　　2　下げた　　　　　3　出した　　　　　4　入れた

2 このごろ、新聞の販売（　）が減少している。

   1　冊数　　　　　　2　枚数　　　　　　3　個数　　　　　　4　部数

2．（　　）に入れるのに最もよいものを、1・2・3・4から一つ選びなさい。(2点×2)

1 テレビコマーシャルの（　）にはお金がかかる。

   1　想像　　　　　　2　生産　　　　　　3　制作　　　　　　4　報道

2 実際に起きたことよりも、話を（　）伝える。

   1　主張して　　　　2　誇張して　　　　3　増加して　　　　4　拡大して

3．＿＿＿の言葉に意味が最も近いものを、1・2・3・4から一つ選びなさい。(2点×2)

1 今日の朝刊に掲載された社説を読んだ。

   1　掲示された　　　2　掲げた　　　　　3　載った　　　　　4　放送された

2 ニュース番組がその問題を大きく報道した。

   1　報じた　　　　　2　報告した　　　　3　宣伝した　　　　4　速報した

4．次の言葉の使い方として最もよいものを、1・2・3・4から一つ選びなさい。(4点×2)

1 オーバー

   1　卵をオーバーに焼いて焦がしてしまった。

   2　気に入ったので、オーバーに靴下を買った。

   3　おいしかったので、オーバーに食べてしまった。

   4　山口さんはずいぶんオーバーに話しているが、実際はそれほどでもない。

2 頻繁

   1　この辺は草が頻繁に生えている。

   2　山本さんはこの店に頻繁に来る。

   3　仕事が忙しくて、彼は頻繁に疲れきっている。

   4　これは人気商品で、日本中で頻繁に売れている。

Ⅰ. 言葉と例文 ≫

1 ウォーミングアップ

(1) あなたの国の主な産業は何ですか。

(2) 最近、経済に関してどんなニュースを聞きましたか。

2 言葉

1. 経済	
① 財政破たんに陥る・財政が破たんする	⑩ 採算が合う・取れる
② 財政が赤字に転落する	⑪ 収支の均衡を図る
③ 景気が低迷する	⑫ 費用の内訳を見る
④ 景気の動向を見る	⑬ 多額の負債を抱える
⑤ 国が経済に介入する	⑭ 会社が経営不振に陥る
⑥ 税率を引き下げる	⑮ 外国企業と □□□□
⑦ 税金を □□□□	● 提携を結ぶ・提携する
● 徴収する／納入する	⑯ 話し合いで相手に譲歩を迫る
⑧ 資金を運用する	⑰ 交渉で相手の譲歩を引き出す
⑨ □□□□を引き起こす	⑱ 交渉が妥結する
● インフレ─デフレ	⑲ 利益を社会に還元する

2. 産業	
▶産業	農業／林業／水産業／鉱業／建設業
① 林業に従事する	製造業／情報通信業／運輸業／小売業
② 漁船が港に停泊する	金融、保険業／不動産業／医療、福祉
③ 新しいビルの建設は来月着工の予定だ	教育、学習支援業／サービス業
④ 工場でパンや菓子を製造する	▶工業
⑤ 貨物船で輸送する	① 重工業
⑥ 工業地帯・地域	鉄鋼業／機械工業／造船業
	② 軽工業
	繊維工業／食品工業／印刷業

3 語形成
(1) **財政〜** **財政破たん** **財政赤字**　　(2) **引き〜** **引き起こす** **引き上げる**

(3) **〜不振** **経営不振** **業績不振**　　(4) **〜船** **貨物船** **遊覧船** **輸送船**

(5) **〜業** **製造業** **鉄鋼業** **印刷業**　　(6) **〜工業** **重工業** **繊維工業**

(7) **〜地帯** **工業地帯** **砂漠地帯**　　(8) **〜地域** **工業地域** **アジア地域**

4 例文　副詞や副詞的表現と一緒に使った例文を見てみよう。

(1) 法人税率を**段階的**に引き下げる方針が示された。

(2) 経営が赤字に転じ、株価は**一気に**値下がりした。

(3) 粘り強く交渉して、**どうにか**相手から譲歩を引き出したい。

II. 基本練習 ≫

1 導入練習

I. 言葉と例文の中から適当なものを（　　　）に入れて、文を完成させなさい。始め、または終わりの何文字かはヒントとして示してあります。

　　日本の主な産業は、鉄鋼業や機械工業などの（①　　　　　　　こうぎょう）だ。日本の自動車や電気製品は、世界に向けて輸出されている。また、（②せん　　　　　ぎょう）や食品工業、印刷業などの（③　　　　　こうぎょう）が盛んな地域もある。金融・保険業、情報通信業や、飲食店、広告業などのサービス業に携わる人も多い。

　　一方、農業に（④　　　　　うじ）する人は減少し、農作物の輸入も多い。同じように（⑤すい　　　　　　　ぎょう）や（⑥り　　　　　ぎょう）に携わる人も少なく、日本の漁船では多くの外国人が働き、木材も多数輸入されている。

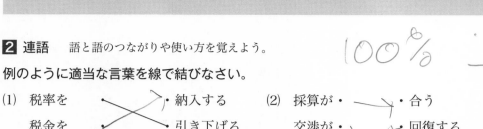

2 連語 語と語のつながりや使い方を覚えよう。

例のように適当な言葉を線で結びなさい。

(1) 税率を・　　　　・納入する

税金を・　　　　・引き下げる

インフレを・　　　　・結ぶ

提携を・　　　　・引き起こす

(2) 採算が・　　　　・合う

交渉が・　　　　・回復する

漁船が・　　　　・停泊する

景気が・　　　　・妥結する

3 意味 基本的な意味を確認しよう。

￣￣￣￣の中から適当な言葉を選んで、（　　　　）に入れなさい。

(1) | 転落　　低迷　　提携 |

　① 当社は減収減益で大幅な赤字に（ 転落 ）した。

　② コスト削減のため、他社と（ 提携 ）することを検討している。

　③ 景気が（ 低迷 ）していて、我が社の経営も苦しい。

(2) | 還元　　妥結　　譲歩 |

　① 会社の利益を社会に（ 還元 ）していくのはよいことだ。

　② 話し合いは円満に（ 妥結 ）した。

　③ なかなか話がつかず、仕方なくこちらが（ 譲歩 ）した。

4 類義 似た意味の言葉はどれですか。

＿＿＿＿の言葉に意味が近いほうを選びなさい。

(1) 今着工すれば、期限までにどうにか間に合うだろう。（ 何とか　どうやら ）

(2) 政府は段階的にその政策を導入していく計画だ。（ 徐々に　ようやく ）

5 語形成 接辞や複合語を覚えよう。

正しいものに〇を付けなさい。

(1) 小さなミスが、大きな問題を（ 引き　取り　思い ）起こした。

(2) 経済危機の影響で、（ 収支　財政　会計 ）赤字に陥った。

III. 実践練習 ≫

1. （　　　）に入れるのに最もよいものを、1・2・3・4から一つ選びなさい。(2点×2)

1 円高の影響で、会社が経営（ 4 ）に陥ってしまった。

   1　不調　　　　　2　不振　　　　　3　不良　　　　　4　不足

2 山田さんは東南アジア（ 3 ）の経済について研究している。

   1　地帯　　　　　2　地方　　　　　③　地区　　　　　④　地域

2. （　　　）に入れるのに最もよいものを、1・2・3・4から一つ選びなさい。(2点×2)

1 （ 3 ）で物価が一年に20％も上昇している。

   1　景気　　　　　2　不況　　　　　③　インフレ　　　4　デフレ

2 将来に備え、資産の（ 1 ）方法を考えている。

   1　運用　　　　　2　利用　　　　　3　応用　　　　　4　借用

3. ＿＿＿＿の言葉に意味が最も近いものを、1・2・3・4から一つ選びなさい。(2点×2)

1 今は赤字だが、収支の均衡を図る努力をしている。

   1　介入　　　　　2　採算　　　　　3　平均　　　　　④　バランス

2 大きな負債を抱えてしまった。

   1　持って　　　　2　払って　　　　③　負って　　　　4　取って

4. 次の言葉の使い方として最もよいものを、1・2・3・4から一つ選びなさい。(4点×2)

1 一気に

   1　ビル建設を一気に着工する予定だ。

   2　少しぐらいほめられたからといって、一気になってはいけない。

   ③　税率を一気に引き上げると、景気に悪い影響を与えかねない。

   4　従業員は一気に仕事に励んでいる。

2 内訳

   1　相手の内訳を聞いてから、こちらの考えを伝えるつもりだ。

   2　家族の内訳は父、母、妹、私です。

   3　経済記事の内訳を説明する。

   4　出費の内訳を見る。

I. 言葉と例文 ≫

1 ウォーミングアップ

(1) 最近、あなたの国や世界の政治に関してどんなニュースを聞きましたか。

(2) あなたの国の有名な歴史上の人物について教えてください。

2 言葉

1. 政治・法律（立法・行政・司法）

▶立法（国会）	▶行政
① 政策の**転換**を**促す**	① 規制が**緩和**される
② **質疑**を行う	② 政府が**声明**を発表する
③ **異論**を**唱える**	③ ⬚**措置**を取る
④ 議論を**踏まえる**	● 万全の／異例の／寛大な
⑤ 国会の**承認**を得る	④ 条約に**調印**する
⑥ 議長が**採決**を取る	⑤ 閣僚が**協議**を行う
⑦ 国会で**法案**が⬚	⑥ 政治が**腐敗**する
● **審議**される	⑦ ビザを**申請**する―**発給**する
● **採択**される・**成立**する	▶司法
⑧ 次の**議題**に入る	① **訴訟**を起こして損害の**賠償**を求める
⑨ 制度を**改革**する	② **検察**が**告訴**する
⑩ 法律を⬚	③ ⬚を**保障**する
● **制定**する／**整備**する→**法整備**	● **権利**／**基本的人権**
● **改定**する	④ ⬚の**判決**が下る
● **施行**する	● **死刑**／**懲役**

2. 歴史

① 国家を**形成**する	⑤ **内戦・紛争**が起きる
② **異民族**に**侵略**される	⑥ 国が東西に**分断**される
③ 戦争から**復興**する	⑦ ⬚を**発掘**する
④ **古代文明**が⬚	● 遺跡／住居跡
● **繁栄**する―**衰退**する	⑧ **軍事力**を**増強**する

3 語形成

(1) 異〜　異民族　異文化

(2) 〜民族　異民族　漢民族　遊牧民族

(3) 〜跡　住居跡　傷跡　足跡

(4) 〜文明　古代文明　四大文明

4 例文　副詞や副詞的表現と一緒に使った例文を見てみよう。

(1) **再三**注意を促しているが、**一向に**変わる気配がない。

(2) 政府は輸入規制を**大幅**に緩和することを明らかにした。

(3) 制度が**抜本的**に改革される予定だ。

Ⅱ．基本練習 ≫

1 導入練習

Ⅰ．**言葉と例文**の中から適当なものを（　　　）に入れて、文を完成させなさい。始め、または終わりの何文字かはヒントとして示してあります。

　　外国人の入国に関する規制が（①かん　　　　　　）されるというニュースを聞いた。これが実現すると、ビザの（②しん　　　　　　）も下りやすくなり、日本を訪れる人も増加する。日本は早くから国家が（③けい　　　　　　）された歴史の古い国で、異民族に（④　　　　　　りゃく）されたこともないため、古い（⑤いせ　　　　　　）や、歴史的な建造物などもたくさん残っている。そうした歴史的遺産を活用すれば、今後はもっとたくさんの観光客を呼ぶことができるだろう。

　　また、入国規制が（①かん　　　　　　）されれば、観光客以外にも、労働者として日本に住む外国人も増える。日本に多くの外国人を受け入れることに異論を（⑥　　　　　える）人もいるが、すでに住んでいる外国人も多いので、批判するばかりではなく現実的なことを考える必要がある。まずは法整備を進め、子供が教育を受ける権利を保障するなど、万全の（⑦そ　　　　　　　）を取っていくことが、日本社会を活性化させることにつながるのではないだろうか。

2 連語　語と語のつながりや使い方を覚えよう。

例のように適当な言葉を線で結びなさい。

(1)　異論を　　　　　・　　　・発表する
　　　声明を　・　　　　　　・増強する
　　　法律を　・　　　　　　・唱える
　　　軍事力を・　　　　　　・施行する

(2)　訴訟を・　　　　　　・発掘する
　　　憲法を・　　　　　　・制定する
　　　遺跡を・　　　　　　・起こす
　　　旅券を・　　　　　　・発給する

3 意味　基本的な意味を確認しよう。

◻️◻️◻️の中から適当な言葉を選んで、(　　　)に入れなさい。

(1)　| 緩和　採決　形成 |

　① 外国人の入国に関する規制を(　緩和　)する。

　② 国会で議長が(　採決　)を取った。

　③ 古代ギリシャでは多数の都市国家が(　形成　)された。

(2)　| 議題　協議　腐敗 |

　① その問題は、会議の中心(　議題　)だった。

　② ある国では政治の(　腐敗　)が深刻な問題になっている。

　③ 輸出規制について首相と関係閣僚が(　協議　)した。

4 類義　似た意味の言葉はどれですか。

＿＿＿の言葉に意味が近いほうを選びなさい。

(1)　昔、この地域に大帝国が繁栄した。(　繁盛した　栄えた　)

(2)　長時間議論が行われているが、一向に話がまとまらない。(　全然　あながち　)

5 語形成　接辞や複合語を覚えよう。

正しいものに○を付けなさい。

(1)　その国は(　敵　違　異　)民族の侵略を受けて衰退した。

(2)　古代の住居(　遺跡　跡　発掘　)が見つかった。

Ⅲ. 実践練習 ≫

1. （　　　）に入れるのに最もよいものを、1・2・3・4から一つ選びなさい。(2点×2)

1 この地域に古代（　　）が栄えていたのは、二千年以上前の話だ。

 1 歴史   2 社会   3 遺跡   ④ 文明

2 その国は、さまざまな民族が住む（　　）民族国家だ。

 1 混   2 多   3 少数   4 異

2. （　　　）に入れるのに最もよいものを、1・2・3・4から一つ選びなさい。(2点×2)

1 内戦の後、国は南北に（　　）されてしまった。

 1 切断   2 分断   3 解体   4 横断

2 議会で内閣の方針が発表された後、それについて議員からの（　　）が行われた。

 1 証言   2 問答   ③ 質疑   4 回答

3. ＿＿＿＿の言葉に意味が最も近いものを、1・2・3・4から一つ選びなさい。(2点×2)

1 外国人に対する入国規制が大幅に緩和された。

 1 ついに   2 どうにか   3 大まかに   ④ かなり

2 この国境付近では異民族間の紛争が絶えない。

 1 戦争   2 内戦   3 革命   4 競争

4. 次の言葉の使い方として最もよいものを、1・2・3・4から一つ選びなさい。(4点×2)

1 賠償

 1 すみません、花瓶を壊してしまったので賠償します。

 2 勝利の賠償に失ったものも大きい。

 ③ その男性は損害を受けたとして、国に一千万円の賠償を求めた。

 4 三十五年かけて住宅ローンを賠償した。

2 措置

 1 財政問題に対して政府は適切な措置を取らなければならない。

 2 問題を軽視して長い間措置してしまった。

 3 虫歯が悪化してしまった。早く歯科で措置したほうがいい。

 4 新しい本棚を部屋に措置した。

Ⅰ．言葉と例文 ≫

1 ウォーミングアップ

(1) あなたの国にはどんな社会保障制度がありますか。

(2) あなたの国では少子高齢化問題がありますか。あるとすれば、それはどんなことが原因になっていると思いますか。また、ないとすれば、それはなぜだと思いますか。

2 言葉

1. 格差社会	
① _____が**急速**に**広**がる 　● **格差** 　● **貧困層**―**富裕層** ② **雇用**の**安定**を**図**る ③ **健康保険**に**加入**する	④ **女性**の**就業**を_____ 　● **促進**する 　● **推進**する ⑤ **年金**を_____ 　● **受給**する―**支給**する

2. 少子高齢化	
① _____が**進**む 　● **少子化** 　● **高齢化** 　● **少子高齢化** ② **出生率**が**低下**する ③ **未婚率**が**上昇**する ④ **平均寿命**が**延**びる ⑤ **世界一**の**長寿国**になる ⑥ **母**は**来年還暦**を**迎**える ⑦ **人口構造**が**変化**する ⑧ **介護福祉士**になる→**介護士** ⑨ **高齢者**を_____ 　● **介護**する・**ケア**する 　● **看護**する	⑩ **父母**が**老**いる ⑪ あの**人**は**急**に_____ 　● **老**けた―**若返**った ⑫ **老後**に**備**えて**貯金**する ⑬ **乳幼児**の**死亡率**が_____ 　● **減少**／**激減**する―**増加**／**激増**する ⑭ _____を**取**る 　● **産休**←**産前産後休暇** 　● **育休**←**育児休暇** ⑮ **企業**が**福利厚生**を**充実**させる ⑯ **問題**に**取**り**組**む ⑰ **問題**を_____ 　● **軽視**する―**重視**する ⑱ **仕事**と**育児**を_____ 　● **両立**させる／**こなす**

3 語形成

(1) **〜層**　貧困層　若年層　中高年層

(2) **〜率**　出生率　失業率　死亡率

(3) **〜国**　長寿国　先進国　発展途上国

(4) **〜化**　少子化　少子高齢化

(5) **平均〜**　平均寿命　平均年齢

(6) **〜構造**　人口構造　産業構造

(7) **〜士**　介護福祉士　保育士

(8) **〜者**　高齢者　失業者　障害者

(9) **〜休暇**　育児休暇　長期休暇

4 例文　副詞や副詞的表現と一緒に使った例文を見てみよう。

(1) 彼女はいつも家事と育児を**てきぱき**こなしている。

(2) 私は来年**いよいよ**還暦を迎える。

(3) 老後の生活に備えて、今から**しっかり**貯金をしておこう。

(4) 母は最近**めっきり**老け込んでしまった。

II. 基本練習 ≫

1 導入練習

I. 言葉と例文の中から適当なものを（　　　　）に入れて、文を完成させなさい。始め、または終わりの何文字かはヒントとして示してあります。

日本では1990年代の終わりごろから非正規の（①こよ　　　　　　　）が増え、収入の少ない貧困層が拡大した。（②　　　　　　きん）を受給できない人や、健康保険に（③かにゅ　　　　　）していないため病気になったときに困る人、収入が少ないために結婚して家庭を築くことをあきらめる男性もいる。小さい子供を持つ母親が、働きやすい環境も十分に整っていない。このような背景から日本では出生率も低下し、（④　　　　　しか）が進んでいる。一方で、日本は長寿国と言われるほど（⑤へいきん　　　　　）が長く、社会の（⑥こうれい　　　　　）も進んでいる。

2 連語　　語と語のつながりや使い方を覚えよう。

例のように適当な言葉を線で結びなさい。

(1)　福利厚生を・　　　　　・進む
　　　死亡率が・　　　　　・看護する
　　　少子化が・　　　　　・激増する
　　　患者を・　　　　　・充実させる

(2)　還暦を・　　　　　・低下する
　　　出生率が・　　　　　・延びる
　　　平均寿命が・　　　　・老ける
　　　両親が・　　　　　・迎える

3 意味　　基本的な意味を確認しよう。

　　　□□□の中から適当な言葉を選んで、（　　　　）に入れなさい。

(1)　| 安定　　支給　　加入 |

　　① 政府が年金を（　支給　）する。

　　② アルバイトから正社員になって、やっと生活が（　安定　）した。

　　③ 私は健康保険に（　加入　）している。

(2)　| めっきり　　いよいよ　　しっかり |

　　① 彼女は仕事と育児を（　しっかり　）両立させていて偉いと思う。

　　② （　いよいよ　）明日から待ちに待った夏休みが始まる。

　　③ 最近は、外で遊ぶ子供が（　めっきり　）少なくなった。

4 類義　　似た意味の言葉はどれですか。

　　　＿＿＿の言葉に意味が近いほうを選びなさい。

(1)　彼はどんな仕事でも確実にこなす。（　処理する　　引き受ける　）

(2)　この会社は高齢者のケアサービスを提供している。（　保護　　介護　）

5 語形成　　接辞や複合語を覚えよう。

正しいものに○を付けなさい。

(1)　出生率が下がり、平均寿命が延びて、高齢（　人　　層　　化　）社会になった。

(2)　収入が十分に得られない貧困（　組　　班　　層　）の支援が急務である。

／20点

III. 実践練習 ≫

1.（　　）に入れるのに最もよいものを、1・2・3・4から一つ選びなさい。(2点×2)

1　若年層を中心に就業（　　）が低下している。

　　1　者　　　　　　2　人　　　　　　3　率　　　　　　4　人数

2　子供が好きなので、保育（　　）の資格を取りたい。

　　1　者　　　　　　2　士　　　　　　3　師　　　　　　4　人

2.（　　）に入れるのに最もよいものを、1・2・3・4から一つ選びなさい。(2点×2)

1　私は貯金がないから、（　　）がちょっと心配だ。

　　1　老期　　　　　2　還暦　　　　　3　老後　　　　　4　末期

2　政府は少子化問題に積極的に（　　）必要がある。

　　1　取り組む　　　2　取り込む　　　3　取り入れる　　　4　取り扱う

3.　　　　の言葉に意味が最も近いものを、1・2・3・4から一つ選びなさい。(2点×2)

1　これからは、高齢者や女性の就業をもっと促進するべきだ。

　　1　催促　　　　　2　推薦　　　　　3　前進　　　　　4　推進

2　ここ数年で、社会は急速に変化した。

　　1　急激　　　　　2　早急　　　　　3　至急　　　　　4　早速

4.　次の言葉の使い方として最もよいものを、1・2・3・4から一つ選びなさい。(4点×2)

1　てきぱき

　　1　木がてきぱきと折れてしまった。

　　2　スピーチのとき、てきぱきと緊張した。

　　3　兄のお嫁さんはてきぱきとよく働く。

　　4　部屋がてきぱきと片付けてある。

2　軽視

　　1　最近目が悪くなった。どうも軽視らしい。

　　2　喫煙の人体への悪影響は軽視できない。

　　3　軽視運転は危ないからやめたほうがいい。

　　4　富士山に登ったことはないが、電車の窓から軽視したことはある。

Ⅰ. 言葉と例文 ≫

1 ウォーミングアップ

⑴ あなたの住んでいる国や地域はどんな気候ですか。

⑵ あなたの国の地形について説明してください。

2 言葉

1. 気象・気候	
① □□□□ が降る	⑤ 雪が降り積もる
● 集中豪雨／土砂降りの雨	⑥ □□□□ 注意報／警報が出る
② □□□□ が吹き荒れる	● 大雨洪水／洪水／大雨
● 強風	● 津波
● 突風	⑦ □□□□ な気候
③ 暴風雨になる	● 高温多湿な
④ 霧が立ち込める	● 温暖な

2. 地形	
① 船が海峡を渡る	⑧ 緩やかな □□□□
② 船が海底に沈む	● 傾斜／斜面
③ 砂浜に波が打ち寄せる	● 丘
④ 海岸沿いのホテルに泊まる	⑨ □□□□ まで登る
⑤ 広大な平野が広がる	● 山の中腹
⑥ 起伏が激しい山を登る	● 山頂
⑦ 日本は山地が多い	⑩ □□□□ に位置する
	● 南半球—北半球

3. 天体	
① 日の出—日の入り・日没	⑤ 天体観測する
② 金星／火星／木星／水星／土星	⑥ □□□□ が出る
③ 惑星／衛星	● 満月
④ 星座を見る	● 三日月

3 語形成

(1) 集中〜　**集中豪雨　集中豪雪**

(2) 吹き〜　**吹き荒れる　吹き抜ける　吹き寄せる**

(3) 打ち〜　**打ち寄せる　打ち付ける**

(4) 〜降り　**土砂降り　小降り　大降り**

(5) 立ち〜　**立ち込める　立ち上る**

(6) 降り〜　**降り積もる　降り続く**

4 例文　副詞や副詞的表現と一緒に使った例文を見てみよう。

(1) その船は今も海底に**ひっそり**と沈んでいるという。

(2) **果てしなく**広がる広大な砂漠を旅する。

(3) 夜空に**きらきら／こうこう**と星が輝いている。

(4) 満月が**ぽっかり**浮かんでいる。

(5) 昨日は空が**どんより**曇っていた。

(6) 集中豪雨で、**ざあざあ**滝のような雨が降っている。

(7) 強風が**ごうごう**と吹き荒れる。

(8) 雨が**ぽつぽつ**降り始めた。

(9) ここは高温多湿な気候で、一年中**じめじめ**している。

(10) **今にも**雨が降り出しそうな天気だ。

Ⅱ. 基本練習 ≫

1 導入練習

Ⅰ. 言葉と例文の中から適当なものを（　　　）に入れて、文を完成させなさい。始め、または終わりの何文字かはヒントとして示してあります。

> 日本は国が南北に長く、いろいろな気候に分かれている。例えば、東京など太平洋側の地域は、夏、（①こうお　　　　　）で蒸し暑いが、日本海側や北海道などでは、湿度はそれほど高くない。また、沖縄や九州、四国などの太平洋側の地域では、秋にかけて台風で（②　　　　ふうう）になることもある。冬になると、日本海側では大雪が降るところもあるが、太平洋側では雪が高く（③ふりつ　　　　　）ようなことはほとんどない。特に、沖縄は冬でも（④　　　　だん）で過ごしやすい。

2 連語　語と語のつながりや使い方を覚えよう。

例のように適当な言葉を線で結びなさい。

(1) きらきら・　　　・空が曇る
　　ぽっかり・　　　・星が光る
　　どんより・　　　・雨が降り始める
　　ぽつぽつ・　　　・月が浮かぶ

(2) 風が・　　　・立ち込める
　　霧が・　　　・打ち寄せる
　　雪が・　　　・降り積もる
　　波が・　　　・吹き荒れる

3 意味　基本的な意味を確認しよう。

☐☐の中から適当な言葉を選んで、（　　　）に入れなさい。

(1) | 日没　起伏　山頂 |

　① 今日の（ 日没 ）の時刻を調べてみた。

　② 今年の夏は、富士山の（ 山頂 ）まで登ってみたい。

　③ この山岳地帯は（ 起伏 ）がとても激しい。

(2) | 海峡　海底　砂浜 |

　① 田村さんと二人で（ 砂浜 ）を散歩した。

　② 毎日この（ 海峡 ）をたくさんの船舶が航行している。

　③ （ 海底 ）に巨大な油田が発見された。

4 類義　似た意味の言葉はどれですか。

＿＿の言葉に意味が近いほうを選びなさい。

(1) この山は傾斜が<u>緩やか</u>だ。（　のんびり　なだらか　）

(2) 乾いた大地が<u>果てしなく</u>続いている。（　はなはだしく　限りなく　）

5 語形成　接辞や複合語を覚えよう。

正しいものに○をつけなさい。

(1) 台風が来ているので、今夜は（　暴　大　豪　）降りになるかもしれない。

(2) 温泉から湯気が（　立ち　打ち　引き　）上（のぼ）っている。

Ⅲ. 実践練習 ≫

1. （　）に入れるのに最もよいものを、1・2・3・4から一つ選びなさい。(2点×2)

1 風によって、たくさんのごみが海岸に吹き（ 3 ）ていた。

　　1　込められ　　　2　積もられ　　　3　抜けられ　　　4　寄せられ

2 現在、大雨洪水（ 1 ）が出ている。

　　1　注意報　　　　2　予報　　　　　3　気候　　　　　4　気象

2. （　）に入れるのに最もよいものを、1・2・3・4から一つ選びなさい。(2点×2)

1 ここでは冬になると、雪が数メートルも（ 2 ）。

　　1　降り始める　　2　降り積もる　　3　降り続く　　　4　降り続ける

2 あの家のリビングルームは（ ? ）快適だ。

　　1　大規模で　　　2　広大で　　　　3　広々として　　4　大幅で

3. ＿＿＿の言葉に意味が最も近いものを、1・2・3・4から一つ選びなさい。(2点×2)

1 夜になると星が<u>こうこうと</u>輝き始め、たくさんの星座が観測できた。

　　1　ぽつぽつと　　2　ぱらぱらと　　3　きらきらと　　4　ごうごうと

2 外は<u>土砂降り</u>の雨だ。

　　1　梅雨　　　　　2　大雨　　　　　3　にわか雨　　　4　小雨

4. 次の言葉の使い方として最もよいものを、1・2・3・4から一つ選びなさい。(4点×2)

1 じめじめ

　　1　最近は雪が<u>じめじめ</u>と降っている。

　　2　外は<u>じめじめ</u>とした暴風雨で、洪水警報も出ている。

　　3　<u>じめじめ</u>と激怒するのはよくない。

　　4　梅雨時は<u>じめじめ</u>していて、洗濯物が乾きにくい。

2 斜面

　　1　雪山の<u>斜面</u>をスキーで滑り降りる。

　　2　<u>斜面</u>からは舞台が見にくいですが、正面からはよく見えますよ。

　　3　田中さんは世間に対して<u>斜面</u>に構えている。

　　4　犯人は<u>斜面</u>をかぶって逃走した。

Ⅰ. 言葉と例文 ≫

1 ウォーミングアップ

(1) あなたの身近にはどんな電気製品がありますか。

(2) あなたの国のエネルギー事情について説明してください。

　① どのような方法で電力を作っていますか。主に使われる資源は何ですか。

　② 作られる電力の量は十分ですか。電力を輸出または輸入していますか。

2 言葉

1. 機械

① □□□発明をする
 ● 偉大な
 ● 画期的な
② □□□を開発／試作する
 ● 太陽電池／ソーラーパネル
③ エネルギー源が多様化する
④ 原子力発電の仕組みを知る
⑤ エネルギーを□□□
 ● 出力する—入力する
 ● 変換する
⑥ 開発プロジェクトが発足する
⑦ 製品を精密に検査する
⑧ 省エネに取り組む
⑨ 電気製品が電力を消費する

⑩ その製品は100ボルトの電圧に対応している
⑪ □□□を購入する
 ● 家電←家庭用電気製品
 ● 省エネ家電
⑫ 飛行機が□□□
 ● 離陸する—着陸する
⑬ 金属を□□□
 ● 加工する
 ● 塗装する
⑭ □□□がさびる
 ● 鉄
 ● 銅
⑮ 人工衛星を打ち上げる

2. 電気・電子

① ハードウェア・ソフトウェア
② □□□を処理する
 ● 情報・データ
③ アナログ—デジタル回路を設計する
④ 高い機能を備える

⑤ 開発に携わる
⑥ 製品の開発を手掛ける
⑦ 特許を□□□
 ● 申請／取得／登録する

3 語形成
_{ごけいせい}

(1) ～的 　　画期的 　革命的
_{てき}　　　　　_{かっきてき}　_{かくめいてき}

(2) ～源 　　エネルギー源 　発生源
_{げん}　　　　　_{げん}　　　　　_{はっせいげん}

(3) ～化 　　多様化 　デジタル化 　電子化
_か　　　　　_{たようか}　　　　_か　　_{でんしか}

(4) ～発電 　原子力発電 　火力発電 　水力発電 　太陽光発電
_{はつでん}　_{げんしりょくはつでん}　_{かりょくはつでん}　_{すいりょくはつでん}　_{たいようこうはつでん}

(5) ～プロジェクト 　開発プロジェクト 　研究プロジェクト
_{かいはつ}　　　　　　　_{けんきゅう}

(6) 省～ 　　省エネ 　省電力
_{しょう}　　　_{しょう}　　_{しょうでんりょく}

(7) ～家電 　省エネ家電 　デジタル家電
_{かでん}　_{しょう}　_{かでん}　　_{かでん}

(8) 人工～ 　人工衛星 　人工知能
_{じんこう}　_{じんこうえいせい}　_{じんこうちのう}

4 例文 　副詞や副詞的表現と一緒に使った例文を見てみよう。
_{れいぶん}　_{ふくし}　_{ふくしてきひょうげん}　_{いっしょ}　_{つか}　_{れいぶん}　_み

(1) 電気メーカーは**次々に**新製品を開発している。
_{でんき}　　　　　_{つぎつぎ}　_{しんせいひん}　_{かいはつ}

(2) 山田さんは**未だに**携帯電話を持たない主義を貫いている。
_{やまだ}　　　_{いま}　_{けいたいでんわ}　_も　　_{しゅぎ}　_{つらぬ}

(3) そんなことが**果たして**可能だろうか。
_は　　_{かのう}

(4) 省エネ家電は**すっかり**家庭に浸透した。
_{しょう}　_{かでん}　　　　　_{かてい}　_{しんとう}

II. 基本練習　≫
_{きほんれんしゅう}

1 導入練習
_{どうにゅうれんしゅう}

I. **言葉と例文**の中から適当なものを（　　　）に入れて、文を完成させなさい。始め、または終わりの何文字かはヒントとして示してあります。

> 日本の主な発電の方法は火力発電だが、発電の方法は世界的に、（①げん　　　）発電、（②すい　　　　）発電、風力発電など（③　　　　うか）している。特に、太陽の光を利用する（④たいよ　　　）発電は注目を集めている。この技術では、光エネルギーを電気エネルギーに（⑤へん　　　　）することができる。従来、（④たいよ　　　　）発電はコストが高く、特定の場所でしか使われていなかったが、家庭用にも価格を抑えた（⑥　　　パネル）が売り出され、徐々に普及している。資源には限りがあり、（①げん　　　）発電も危険性が指摘されていることから、（④たいよ　　　）発電への期待が高まっている。

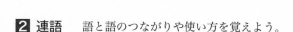

2 連語　語と語のつながりや使い方を覚えよう。

例のように適当な言葉を線で結びなさい。

(1)　電力を　　　　　　　　取り組む
　　　特許を　　　・　　　・消費する
　　　人工衛星を・　　　　・申請する
　　　省エネに　・　　　　・打ち上げる

(2)　金属が　　　　・　　　・着陸する
　　　飛行機が　・　　　　・出力する
　　　鉄を　　　・　　　　・加工する
　　　エネルギーを・　　　・さびる

3 意味　基本的な意味を確認しよう。

□□□の中から適当な言葉を選んで、（　　　）に入れなさい。

(1)　| 変換　　発足　　処理 |

① 新しい研究プロジェクトが（　発足　）した。

② 太陽電池は光エネルギーを電気エネルギーに（　変換　）する。

③ このコンピューターは一度に大量のデータを（　処理　）することができる。

(2)　| ソフトウェア　　機能　　デジタル |

① コンピューターに（　ソフトウェア　）をインストールした。

② この新製品はさまざまな（　機能　）を備え、性能もよい。

③（　デジタル　）カメラで写真を撮って、データをパソコンに保存した。

4 類義　似た意味の言葉はどれですか。

＿＿＿の言葉に意味が近いほうを選びなさい。

(1)　蒸気機関の発明は革命的なことだった。（　致命的　画期的　）

(2)　携帯電話はすっかり世界中に普及した。（　完全に　非常に　）

5 語形成　接辞や複合語を覚えよう。

正しいものに○を付けなさい。

(1)　エネルギー（　化　料　源　）は水力、風力、太陽光など多様化している。

(2)　テレビの放送がデジタル（　化　版　的　）されて、今までのアナログのテレビは使えなくなった。

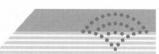

REVIEW

REVIEW

III. 実践練習 ≫

1. （　　）に入れるのに最もよいものを、1・2・3・4から一つ選びなさい。(2点×2)

1 自然環境を守るため、日ごろから（　）エネを心掛けている。

   1 脱　　　　　　2 省　　　　　　3 電気　　　　　　4 人工

2 あれは（　）的に造られた湖だ。

   1 自然　　　　　2 天然　　　　　3 人工　　　　　　4 人口

2. （　　）に入れるのに最もよいものを、1・2・3・4から一つ選びなさい。(2点×2)

1 山口さんは発明品の特許を（　）した。

   1 取得　　　　　2 入力　　　　　3 拾得　　　　　　4 発足

2 このビデオカメラは防水（　）してあるので水中撮影も可能だ。

   1 システム　　　2 塗装　　　　　3 製造　　　　　　4 加工

3. 　　　　の言葉に意味が最も近いものを、1・2・3・4から一つ選びなさい。(2点×2)

1 新しい機能の付いた商品が次々に発売されている。

   1 次第に　　　　2 絶えず　　　　3 だんだん　　　　4 徐々に

2 過去の偉大な発明によって、現在の技術の進歩がある。

   1 幅広い　　　　2 衝撃的な　　　　3 優れた　　　　　4 大きな

4. 次の言葉の使い方として最もよいものを、1・2・3・4から一つ選びなさい。(4点×2)

1 携わる

   1 川口さんは新入社員の教育に携わっている。

   2 小さなことにばかり携わっていないで、早く仲直りしたほうがいいよ。

   3 山本さんの携帯電話にストラップがたくさん携わっている。

   4 この会社に社員が多数携わっている。

2 いまだに

   1 時間がないので、いまだに出かけなければなりません。

   2 まだ新商品について話せませんが、いまだにわかるでしょう。

   3 今から行けば間に合うよ。あきらめるのはいまだに早い。

   4 私はいまだにテレビ番組の録画にビデオデッキを使っている。

Ⅰ. 言葉と例文 ≫

1 ウォーミングアップ

(1) あなたの住んでいる家の周りには何がありますか。

2 言葉

1. 時間	
① 年月を**経る**	⑥ 故郷へ**帰省**した ☐ 旧友と会った
② 夜が**更ける**／明ける	● **際・折**
③ 旅行の**日取り**を決める	⑦ **十年振り**に友達と会う
④ **前途**は明るい・**前途洋々**だ	⑧ **隔月**で雑誌を発売する
⑤ 彼女の人生は**前途多難**だ	⑨ 当駅は**終日**禁煙です

2. 空間	
▶**方向**	▶**位置**
① メッカの**方角**を向いて祈る	① 部屋の**真ん中**にテーブルを置く
② 進む**方向**を変える・**方向転換**する	② **向かい**の部屋
③ 海に**面した**部屋	③ 車が**正面**から衝突する
④ **前方**―**後方**に注意する	④ **背後**に人の気配を感じる
⑤ 前へ ☐	⑤ **後部**の座席に座る
● **突き進む**	⑥ 要らないプリントの**裏側**をメモに使う
● **踏み出す**	⑦ コインの**裏表**
⑥ **左右対称**に並べる	→彼は**裏表**のない性格だ
▶**場所**	▶**範囲**
① **スタート地点**を出発する	① ☐ に広がる・渡る
② 駅前が**区画整理**される	● **一帯**
③ 立ち入り禁止の**区域**に入る	● **全域**
④ ベッドを置く**余地**はない	② **交通網**が発達する
→同情の**余地**はない	③ 試験の**合格圏**に入る
⑤ 戦争で**領土**を失う	→**合格圏内**―**合格圏外**

3 語形成

(1) 〜振り　十年振り　一か月振り

(2) 突き〜　突き進む　突き抜ける

(3) 踏み〜　踏み出す　踏み込む

(4) 左右〜　左右対称　左右非対称

(5) 〜地点　スタート地点　ゴール地点

(6) 〜整理　区画整理　交通整理

(7) 〜網　交通網　通信網

(8) 〜圏　合格圏　文化圏

4 例文　副詞や副詞的表現と一緒に使った例文を見てみよう。

(1) **かねて**から会いたいと思っていた旧友と十年振りの再会を果たした。

(2) 故郷の両親に**時折**電話をする。

(3) 田中さんは**隔週で**料理教室に通っている。

(4) 外に出ると**にわかに**空が曇って、雨が降り出した。

(5) 何度も注意しているのに、**依然**として変わらない。

(6) あの国は戦争で領土の**ほぼ**三分の一を失った。

II. 基本練習 ≫

1 導入練習

Ⅰ. 言葉と例文の中から適当なものを（　　　）に入れて、文を完成させなさい。始め、または終わりの何文字かはヒントとして示してあります。

私はマンションに住んでいる。マンションの敷地には、ジムやプールやテニスコートがある。（①むか　　　　　　）の建物には、会社の同僚の田村さんが住んでいる。私の部屋はプールに（②　　　　　して）いて、（③　　　　　　　おり）田村さんが泳いでいるのを見かける。今日は一か月（④ぶ　　　　　）に田村さんとテニスをした。しばらくすると、（⑤　　　　　かに）空が曇ってきて、雨がぽつぽつと降り始めた。仕方がないので、テニスをやめて部屋に戻り、（⑥　　　　ねて）から見たいと思っていた映画のDVDを見た。

---

2 連語　語と語のつながりや使い方を覚えよう。

例のように適当な言葉を線で結びなさい。

(1)　交通　・ ━━━━ ・網
　　　首都　・　　　 ・対称
　　　ゴール・　　　 ・地点
　　　左右　・　　　 ・圏

(2)　夜が　　　 ・　　　 ・渡る
　　　正面から　・　　　 ・更ける
　　　前へ　　　・　　　 ・踏み出す
　　　広い範囲に・　　　 ・衝突する

3 意味　基本的な意味を確認しよう。

□□□の中から適当な言葉を選んで、（　　　　）に入れなさい。

(1)　　時折　　依然　　ほぼ

　①　彼は（　ほぼ　）毎日ブログを書いている。

　②　何度も説得を試みたが、（　依然　）としてわかってもらえない。

　③　昔の恋人のことを今でも（　時折　）思い出してしまう。

(2)　　余地　　全域　　区域

　①　ここは立ち入り禁止の（　区域　）になっている。

　②　その件について検討の（　余地　）はまったくない。

　③　関東地方の（　全域　）に雨の予報が出ている。

4 類義　似た意味の言葉はどれですか。

＿＿＿の言葉に意味が近いほうを選びなさい。

(1)　明日は終日市内観光の予定です。（　一日中　最後に　）

(2)　雨が降ったらにわかに肌寒くなってきた。（　少し　急に　）

5 語形成　接辞や複合語を覚えよう。

正しいものに○を付けなさい。

(1)　その国では通信（　圏　領　網　）が十分に発達していない。

(2)　この一帯はきれいに（　区域　区画　地点　）整理されている。

III. 実践練習 ≫

1. （　　）に入れるのに最もよいものを、1・2・3・4から一つ選びなさい。(2点×2)

1　十年（　）に友達と再会した。

　　1　振り　　　　2　際　　　　　3　折　　　　　4　以来

2　彼は目標に向かって（　3　）進むタイプだ。

　　1　踏み　　　　2　打ち　　　　3　突き　　　　4　行き

2. （　　）に入れるのに最もよいものを、1・2・3・4から一つ選びなさい。(2点×2)

1　失業している上借金も抱えていて、山田さんは前途（　4　）だ。

　　1　洋洋　　　　2　失望　　　　3　多難　　　　4　困難

2　ドライブしていたら道を間違えてしまったので、方向（　　）した。

　　1　変更　　　　2　転換　　　　3　改正　　　　4　転向

3. 　　　　の言葉に意味が最も近いものを、1・2・3・4から一つ選びなさい。(2点×2)

1　戦争に負けてかなりの領土を失った。

　　1　範囲　　　　2　余地　　　　3　国土　　　　4　地点

2　かねてから疑問に思っていたことが、ようやくわかった。

　　1　最初　　　　2　日ごろ　　　3　以前　　　　4　昨日

4. 次の言葉の使い方として最もよいものを、1・2・3・4から一つ選びなさい。(4点×2)

1　踏み出す

　　1　小林さんはこの春就職して、社会人としての第一歩を踏み出した。

　　2　マラソンランナーがスタート地点からいよいよ踏み出した。

　　3　せっかくの好意を踏み出すようなことをしてはいけない。

　　4　あの人は借金を踏み出すつもりだ。

2　背後

　　1　背後をマッサージしてもらって、すっかり疲れが取れた。

　　2　強盗に背後から襲われ、金品を奪われた。

　　3　使用済みコピー用紙の背後はもったいないから、再利用しましょう。

　　4　長い列の背後のほうに並んでいるから、自分の番まで時間が掛かりそうだ。

I．言葉と例文　≫

1 ウォーミングアップ

(1) あなたの国と日本はどのような関係ですか。この十年ぐらいの間に大きな変化がありましたか。

(2) あなたは日本へ来る前と後で何が一番変わりましたか。

2 言葉

1．関係	
▶条件／前提 ① 条件が**整う** ② 条件を**満たす** ③ 有利—**不利**な条件を**提示**する ④ **前提**とする ⑤ **根拠**を述べる ⑥ 仮説を**検証**する ⑦ さまざまな**要因**が**重なり合う** **▶結果／成果** ① よい結果を**もたらす** ② それは**結果論**にすぎない ③ 研究の**成果**・**研究成果**を出す ④ **完成**の**目途**が立つ **▶由緒／由来** ① **由緒**ある建物を見る ② 地名の**由来**を調べる	**▶交渉など** ① **双方**の**思惑**が**一致**する ② 相手を**追い込む** ③ 相手と**合意**する ④ 相手に**妥協**する ⑤ 相手と**対等**に**付き合う** ⑥ **平等**—**不平等**に扱う **▶対人関係／交流** ① 職場の**対人関係**に悩む ② 親しい**間柄**になる ③ **縁**があって結婚する ④ 夫婦の**仲**がいい ⑤ 他国と**親交**を**結ぶ** ⑥ **国際交流**を推進する
2．変化	
① **著しい**変化が見られる ② 突然、**異変**が起きる ③ 患者の**容体**が**急変**する ④ 治安が**悪化**する—改善する ⑤ 態度が**一変**する	⑥ 状況が**劇的**に変わる・**激変**する ⑦ 売上が**推移**する ⑧ 時代が**変遷**する ⑨ 物価が**変動**する ⑩ サラリーマンから政治家に**転身**する

③ 語形成

(1) 〜込む　**追い込む　話し込む**　　　(2) 〜論　**結果論**　理想論

(3) 〜成果　**研究成果**　練習成果　　　(4) 〜合う　**重なり合う　かかわり合う**

(5) 〜交流　**国際交流**　文化交流　　　(6) 〜関係　**対人関係**　人間関係

④ 例文　副詞や副詞的表現と一緒に使った例文を見てみよう。

(1) たとえ成功したとしても、それは**しょせん**結果論にすぎない。

(2) このままでは、**まんまと**相手の思惑通りになってしまう。

(3) 多少納得がいかないところもあるが、**渋々**承諾した。

Ⅱ. 基本練習 ≫

① 導入練習

Ⅰ. **言葉と例文**の中から適当なものを（　　　）に入れて、文を完成させなさい。始め、または終わりの何文字かはヒントとして示してあります。

　先日、ある企業との提携に（①ごう　　　　　　）した。その提携の交渉は数年前から続いていたが、双方に（②　　　　　わく）があり、それぞれに有利な条件を主張して譲らなかった。

　ところが、先ごろの金融危機をはじめとするさまざまな（③よう　　　　　）が重なり、両社を取り巻く環境が（④　　　　　　ぺん）した。その結果、提携が双方にとって会社存続の有効な手段となり、双方ともに（⑤　　　　　きょう）して、（⑥　　　　　　とう）な関係での提携に（①ごう　　　　　）した。

---

2 連語　語と語のつながりや使い方を覚えよう。

例のように適当な言葉を線で結びなさい。

(1)　条件を　　・　　　　・検証する　　(2)　治安が　・　　　　・立つ
　　　仮説を　　・　　　　・提示する　　　　　目途が　・　　　　・一致する
　　　よい結果を・　　　　・追い込む　　　　　思惑が　・　　　　・悪化する
　　　相手を　　・　　　　・もたらす　　　　　物価が　・　　　　・変動する

3 意味　基本的な意味を確認しよう。

□の中から適当な言葉を選んで、（　　　　）に入れなさい。

(1)　| 一変　　変遷　　異変 |

　　① 日本の歴史の（　変遷　）をたどる。

　　② さっきまで楽しそうにしていたのに、態度が（　一変　）して不機嫌になってしまった。

　　③ 体調の（　異変　）に気付いたころには、もう手遅れだった。

(2)　| 由緒　　由来　　縁 |

　　① あの人とは（　縁　）があるようで、いろいろなところでよく会う。

　　② 名前の（　由来　）について調べてみた。

　　③ 長い歴史を持つ（　由緒　）ある旅館に泊まった。

4 類義　似た意味の言葉はどれですか。

＿＿＿の言葉に意味が近いほうを選びなさい。

(1)　状況は著しく変化している。（　一時的に　大きく　）

(2)　彼女とは親しい間柄だ。（　関係　親友　）

5 語形成　接辞や複合語を覚えよう。

正しいものに○を付けなさい。

(1)　いろいろな要因が重なり（　込んで　切って　合って　）、事故が起きた。

(2)　最後はうまくいったが、それは（　結果　成果　関係　）論にすぎない。

III. 実践練習 ≫

1. （　）に入れるのに最もよいものを、1・2・3・4から一つ選びなさい。(2点×2)

1 警察が、逃げる犯人を追い（ 3 ）走っていった。

 1　払って   2　掛けて   3　込んで   4　付いて

2 私は職場の人間（ 4 ）で悩んでいる。

 1　仲   2　交流   3　親交   4　関係

2. （　）に入れるのに最もよいものを、1・2・3・4から一つ選びなさい。(2点×2)

1 このところの円高で、A社の株価は順調に（ 1 ）している。

 1　変化   2　変遷   3　移動   4　推移

2 苦しい立場に追い（ 2 ）しまった。

 1　込まれて 2　付かれて 3　抜かれて 4　上げられて

3. ＿＿＿の言葉に意味が最も近いものを、1・2・3・4から一つ選びなさい。(2点×2)

1 新製品の開発も、ようやく完成の目途が立ってきた。

 1　目安   2　計画   3　予定   4　目標

2 しょせんかなわぬ恋だとわかっていても、あきらめられない。

 1　ほとんど 2　いまだに 3　結局は   4　果たして

4. 次の言葉の使い方として最もよいものを、1・2・3・4から一つ選びなさい。(4点×2)

1 思惑

 1　彼の儲けようという思惑が透けて見える。

 2　私の思惑は固い。

 3　社長は今年の思惑を熱く語った。

 4　強い思惑を持って、目標を実現したい。

2 妥協

 1　お互いに離婚の意思はあるが、金銭面での妥協がつかない。

 2　他社と妥協して新製品を開発した。

 3　双方の歩み寄りが必要だが、相手はまったく妥協しない。

 4　宝くじ売り場の前を通ると、妥協できずいつも買ってしまう。

実力養成編　第2部　性質別に言葉を学ぼう

1章　意味がたくさんある言葉　1課　名詞

Ⅰ. 言葉と例文 ≫

1 ウォーミングアップ

下の三つの文の中で使われている「模様」にはどんな意味があると思いますか。……

試合の模様を放送する。／会議の模様を見てから決める。／事故の模様を伝える。

a 絵や形　　b 結果　　c 様子　　d 事実

2 言葉

あて	① [目標・目的] 知らない町をあてもなく歩いた。
	② [可能にするために必要な相手・対象] 会社を辞めたが再就職のあてがない。
	③ [期待・頼り] 彼は親の財産をあてにして働こうとしない。／
	彼ならお金を貸してくれるだろうと思っていたが、あてが外れてしまった。／
	父は「来年は海外旅行に行くぞ」と言っていたが、あまりあてにならない。
見込み	① [予想] 校舎は来年完成の見込みだ。
	② [可能性] 再就職先が決まり、やっと借金返済の見込みが立った。／
	父の病気は治る見込みがないそうだ。
	③ [将来性] 彼は新入社員の中で一番見込みがある。
拍子	① [音楽のリズムを作る、強い音と弱い音の組み合わせ] この曲は三拍子だ。
	② [リズムをつかむために、曲やダンスに合わせて規則的に体を動かすこと]
	手を打って拍子を取りながら歌を歌う。／観客が曲に合わせて手拍子を打つ。
	③ [何かの勢いで別のことが起こる] 電車が止まった拍子に倒れそうになった。
節	① [茎の途中にある盛り上がった部分] 竹を節のところで切って、花を生ける。
	② [体の関節] 久しぶりに運動したら、体の節が痛くなった。
	③ [音楽のメロディー] 歌詞は忘れたが、節は覚えている。
	④ [～と考えられる点] これらの症状に少しでも思い当たる節があったら要注意。
筋	① [筋肉] 走りすぎて足の筋を痛めてしまった。
	② [野菜の糸状の繊維の部分] セロリの筋。／いんげんの筋。
	③ [言動の論理・一貫性] 彼の主張は筋が通っている。／筋を立てて話す。
	④ [取るべき手順] 相手の名前を聞く前に、まず自分が名乗るのが筋だ。
	⑤ [素質] ゴルフは初めてだったが、筋がいいとほめられた。
	⑥ [情報の出所である関係者] これは確かな筋からの情報だ。／政府筋。／関係筋。

模様 もよう	① [飾りとして付ける絵・形] 動物の模様の付いた壁紙。／水玉模様。／花模様。
	② [会や試合などものごとの状況・様子] 試合の模様を生中継で放送する。
	③ [推測される状況] 大統領の乗った飛行機は、到着が遅れる模様です。
様 さま	① [姿・様子] この映画には少年が冒険を通して成長する様が描かれている。
	② [恥ずかしくない格好] バレエを一年習い、やっと踊る姿が様になってきた。
柄 がら	① [布や紙などの模様] 着物にきれいな柄が描かれている。
	② [性格・品位] 私は人の上に立つ柄ではない。／高級ホテルなんて柄に合わない。
	③ [人の外見や態度から感じられる雰囲気] 町で柄の悪い男ににらまれて怖かった。
軸 じく	① [回転の中心になる線や棒] 右足を軸にして三回回ってください。
	② [マッチ、ペン、ブロッコリーなど野菜の棒状の部分] マッチの軸が折れた。
	③ [ものごとや活動の中心・重要な部分] 日米関係を外交政策の軸にする。
芯 しん	① [ものの中心にある固い部分] りんごの芯を捨てる。／鉛筆の芯が折れる。
	② [体の奥] お風呂で体の芯まで温まる。
	③ [困難や周囲の圧力に負けない性格] 彼女は芯が強い人だ。
隙 すき	① [少しだけ空いている空間や時間] 仕事の隙を見て家に電話をかけた。
	② [わずかな気の緩み] 敵の隙をついてボールを奪った。／ 一瞬の隙もないほど厳重な警備だ。／隙をねらってかばんから財布を抜き取る。
ひび	① [ガラスなどの細い線状の割れ目] ガラスに石が当たって、ひびが入った。
	② [関係が壊れそうになること] 金銭問題で友情にひびが入った。
溝 みぞ	① [水を流すために地面に細長く掘ったもの] 道路の溝にタイヤがはまった。
	② [ものの表面に細長く掘られた部分] タイヤの溝。／レコードの溝。
	③ [二者間の距離・隔たり] 浮気が原因で夫婦の間に溝ができた。 話し合いを重ねても両国の溝は深まるばかりだ。／理論と現実の溝を埋める。
枠 わく	① [細長いものや線で周囲を囲んだもの] 題名を赤い枠で囲む。／窓の枠を外す。
	② [範囲・限界・制限] 予算の枠を超えないように計画を立てる。
縁 ふち	① [ものの端] 落としたペンを拾おうとして、机の縁に頭をぶつけてしまった。
	② [何かを囲む周りの部分] 彼女は泣いていたのか、目の縁が赤くなっている。

II. 基本練習 ≫

1 意味　意味の広がりに気を付けよう。

a、bの（　　）に共通して入る言葉を⬚の中から一つ選んで書きなさい。

(1) | 様　溝　軸　模様　芯〈しん〉　ひび |

① a　このペンは（　　　　）が太くて持ちやすい。

　　b　この団体は、自然保護を（　　　　）に、社会に貢献するさまざまな活動を行う。

② a　寒くて体の（　　　　）まで冷えてしまう。

　　b　大企業のトップに立つ彼女は、一見頼りないが、（　　　　）は強い人だ。

③ a　昨日の試合の（　　　　）は、テレビでも放送された。

　　b　この暑さは二週間ほど続く（　　　　）です。

④ a　田中君が喜ぶ（　　　　）が目に見えるようだ。

　　b　彼女がピアノを弾いている姿は、本当に（　　　　）になるなあ。

⑤ a　大地震で家の壁に（　　　　）が入ってしまった。

　　b　この契約を解除したら、A社との関係に（　　　　）が入るだろう。

⑥ a　下水を流すために、道路のわきに（　　　　）が掘られている。

　　b　ちょっとした口げんかがもとで、二人の関係に（　　　　）ができてしまった。

(2) | 筋　隙〈すき〉　柄　見込み　枠　あて |

① a　彼は友達のノートを（　　　　）にして、授業中は寝てばかりいる。

　　b　海岸沿いの道を（　　　　）もなく一人で歩いた。

② a　明日のコンサートは来場者が二百人を超える（　　　　）だ。

　　b　専門家によると、景気はしばらくの間回復の（　　　　）がないそうだ。

③ a　同じことをしたのに彼だけ許されるなんて、それでは（　　　　）が通らない。

　　b　彼女は（　　　　）がいいから、すばらしい歌手に成長するだろう。

④ a　先生が見ていない（　　　　）に、カンニングをした。

　　b　犯人は警官の（　　　　）をねらって逃げ出した。

⑤ a　強調したい文字や文章を、（　　　　）で囲んで表示する。

　　b　彼の行動は常識の（　　　　）を超えている。

⑥ a　このカーテン、色はいいんだけど、（　　　　）がちょっとね……。

　　b　誕生日にバラの花束を贈るなんて、俺〈おれ〉の（　　　　）じゃないよ。

2 連語 一緒に使う言葉を覚えよう。

例のように一緒に使う言葉を線で結びなさい。

(1)　ひびが　　・　　　・折れる　　　(2)　隙を　　・　　　・する
　　　見込みが・　　　・深まる　　　　　　枠を　　・　　　・はまる
　　　軸が　　・　　　・入る　　　　　　　あてに・　　　・つく
　　　溝が　　・　　　・立つ　　　　　　　溝に　　・　　　・超える
(3)　筋が　　・　　　・強い　　　　(4)　隙を　　・　　　・合わない
　　　あてが　・　　　・埋まる　　　　　　拍子を・　　　・取る
　　　溝が　　・　　　・外れる　　　　　　枠で　　・　　　・ねらう
　　　芯が　　・　　　・いい　　　　　　　柄に　　・　　　・囲む

3 用法 使い方に気を付けよう。

下線の語の使い方が正しい文には○、正しくない文には×を（　）に入れなさい。
また、間違っている場合には、下線の言葉に代わる正しい言葉を書きなさい。

(例)　ボーナスを<u>見込み</u>にしていたのに、今年は出ないらしい。　　　　（ × ）＿＿＿あて＿＿＿

(1)　敵のチームの守備は堅く、一瞬の<u>ひび</u>もない。　　　　　　　　　（　　）＿＿＿＿＿＿

(2)　花火大会の<u>模様</u>を、地域のホームページで紹介する。　　　　　　（　　）＿＿＿＿＿＿

(3)　勢いよくふたを開けた<u>隙</u>に、中のお菓子が飛び出した。　　　　　（　　）＿＿＿＿＿＿

(4)　部長は、毎日残業するのは当たり前だと思っている<u>様</u>がある。　　（　　）＿＿＿＿＿＿

(5)　監督は、<u>筋</u>のある選手はどんどん試合に出すという方針だ。　　　（　　）＿＿＿＿＿＿

(6)　彼は<u>芯</u>がしっかりしているから、周囲に流されたりしない。　　　（　　）＿＿＿＿＿＿

(7)　元モデルだけあって、彼女は立っているだけで<u>様</u>になる。　　　　（　　）＿＿＿＿＿＿

(8)　希望者が受け入れ人数の<u>縁</u>を超えた場合、抽選となります。　　　（　　）＿＿＿＿＿＿

(9)　首相の発言が原因で、両国の関係に<u>溝</u>が入ってしまった。　　　　（　　）＿＿＿＿＿＿

(10)　A社だけに例外を認めるのでは、<u>軸</u>が通らない。　　　　　　　　（　　）＿＿＿＿＿＿

(11)　このお皿は<u>縁</u>が少し欠けているが、まだ使える。　　　　　　　　（　　）＿＿＿＿＿＿

(12)　天気予報は<u>あて</u>にならないから、一応傘を持っていこう。　　　　（　　）＿＿＿＿＿＿

(13)　着物のような<u>模様</u>に合わない服装をして出かけたら、疲れた。　　（　　）＿＿＿＿＿＿

(14)　地球は、北極点と南極点を結ぶ直線を<u>軸</u>にして回転している。　　（　　）＿＿＿＿＿＿

III. 実践練習　≫

1. （　　　）に入れるのに最もよいものを、1・2・3・4から一つ選びなさい。(1点×13問)

1　A社の今期の売り上げは、三百万円に上る（　1　）だそうだ。
　　1　見込み　　　　　2　あて　　　　　　3　目途　　　　　4　節

2　貿易問題が深刻化し、A国との（　4　）がさらに深まる恐れがある。
　　1　なか　　　　　2　すき　　　　　3　みぞ　　　　　4　ひび

3　川口さんって、（　3　）の悪い男とばかり付き合っているよね。
　　1　模様　　　　　2　縁　　　　　3　柄　　　　　4　様

4　彼の反論はまったく（　1　）が通っていない。
　　1　すじ　　　　　2　じく　　　　　3　ひび　　　　　4　あて

5　彼女はスタイルがいいから、何を着ても（　2　）になる。
　　1　模様　　　　　2　様　　　　　3　あて　　　　　4　型

6　A社はパソコンの販売を（　2　）に事業を展開している。
　　1　すじ　　　　　2　たね　　　　　3　しん　　　　　4　じく

7　返済の（　2　）もないのに、百万円も借りてしまった。
　　1　あて　　　　　2　ふし　　　　　3　すじ　　　　　4　みぞ

8　デパートで、（　3　）に飾りの付いたハンカチを買った。
　　1　みぞ　　　　　2　しん　　　　　3　ふち　　　　　4　わき

9　A大学は、今年度から外国人留学生の数に一定の（　3　）を設けることにした。
　　1　わく　　　　　2　すき　　　　　3　あて　　　　　4　ふち

10　妹は昨日から何か怒っているみたいだが、僕には思い当たる（　4　）はない。
　　1　節　　　　　2　筋　　　　　3　見込み　　　　　4　思惑

11　この木は軽く、柔らかく、削りやすいため、鉛筆の（　4　）によく使われている。
　　1　品　　　　　2　縁　　　　　3　芯　　　　　4　軸

12　自分の信念を持っている、（　3　）のしっかりした女性が僕の理想です。
　　1　しん　　　　　2　こつ　　　　　3　ふし　　　　　4　さま

13　重い荷物を持ち上げた（　2　）に、腰を痛めてしまった。
　　1　隙　　　　　2　手際　　　　　3　拍子　　　　　4　模様

2. ＿＿の言葉に意味が最も近いものを、1・2・3・4から一つ選びなさい。(2点×3問)

1 ほかのやつはともかく、あいつは少しは見込みがある。

  1 経験   2 責任   ③ 将来性   4 問題

2 君はすじがいいから、きっとすぐに上手になるよ。

  1 真面目だ   ② 姿勢がいい   3 体力がある   4 素質がある

3 このワンピースのがら、今、流行しているそうですよ。

  1 模様   2 形   3 色   4 素材

3. 次の言葉の使い方として最もよいものを、1・2・3・4から一つ選びなさい。(2点×3問)

1 あて

  1 この電車は二十分ほど遅れて東京駅に到着するあてです。

  2 他人をあてにしないで、自分自身の力でやりなさい。

  3 やっと息子の就職のあてが立って安心した。

  4 宝くじがあてになったら、温泉のあるところに別荘でも買いたいなあ。

2 模様

  1 午後は雨がさらに強まる模様ですので、外出の際はご注意ください。

  2 この小説はどんな話の模様だったか、もう忘れてしまった。

  3 彼女の病気は治る模様がないそうだ。

  4 ここ十年の間に、町はすっかり模様が変わってしまった。

3 ひび

  1 相手チームのひびをねらって攻撃する。

  2 たった一回のうそが原因で、彼との関係にひびが入ってしまった。

  3 A国とB国には領土問題をめぐる深いひびがある。

  4 無理な運動で体のひびを痛めてしまった。

1章　意味がたくさんある言葉　2課　動詞

Ⅰ. 言葉と例文 ≫

1 ウォーミングアップ

（　）の中の言葉はすべて同じ言葉で言い換えられます。さて何でしょうか。……

彼に（勝てる）人はいない。／目的に（合った）方法を選ぶ。／夢が（実現する）。

2 言葉

仰ぐ	① [顔を上げて上を見る] きれいな秋の空を仰ぎながら公園を散歩した。
	② [敬う] 彼は父親を人生の師と仰いでいる。
	③ [目上の人に指示や助けを求める] 問題解決のために専門家の協力を仰いだ。
飢える	① [空腹が続いて辛い状態になる] 飢えたライオンは人を襲うこともある。
	② [強く望むものが得られず辛い状態になる] 子供たちは愛情に飢えている。
潤う	① [ちょうどいい量の水分が行き渡る] 雨で田畑が潤った。／肌が潤う化粧水。
	② [利益を得て豊かになる] 工業団地があるおかげでこの町は潤っている。
犯す	① [法律・規則に反することをする] 罪を犯してまで成功したいとは思わない。
	② [よくない結果を招く] 彼が犯したミスで、チームが試合に負けてしまったのだ。
侵す	③ [他人の権利の邪魔をする] いじめは他者の人権を侵す行為だ。
	④ 侵される [重い病気にかかる] 肺ががんに侵されている。
冒す	⑤ [困難なことや危険なことをする] 命を救うためには危険を冒すこともある。
顧みる	① [昔のことを振り返る] どの時代を顧みても、戦争のない時代はない。
	② 顧みない [気にしない] 仕事ばかりで家庭を顧みない夫に失望した。
省みる	③ [反省する] 若いころの自分を省みて、自分勝手だったことを恥ずかしく思う。
掲げる	① [みんなに見えるようにものを高く上げる] 出場選手が国旗を掲げて行進する。
	② [目標・理想・理念を出す] A社は今年度中に千台の販売を目標に掲げている。
かすむ	① [かすみがかかって、ものがはっきり見えなくなる] 霧で山がかすんで見える。
	② [病気などで目が悪くなってはっきり見えない] 目がかすんで本が読めない。
	③ [ほかのものの印象が強く存在感が薄くなる] 彼の演技がうますぎて、主役がかすむ。
かなう	① [望みどおりになる] 長年の夢がかなって、マイホームを手に入れた。
	② [目的・条件に合う] この部屋ほど私の条件にかなうところはないだろう。
	③ [対抗できる] ゴルフでは彼にかなう人はいない。
	④ かなわない [我慢できない] 今年の夏は暑くてかなわない。

絡む （から）	① [細長いものが巻きつく] ブラシに髪の毛が絡んでしまって取れない。 ② [事件や問題に関係がある] この事件には金銭問題が絡んでいる。 ③ [人にしつこく何かを言って離れない] 酔っ払いに絡まれて嫌だった。
砕く （くだ）	① [固いものに力を加えて細かくする] 砕いた氷をグラスに入れる。 ② [夢を壊す] Aチームは決勝戦で敗れ、初優勝の夢を砕かれた。 ③ [難解なものをわかりやすくする] 難しい法律の問題を砕いて説明する。
暮れる （く）	① [一日や一年が終わりに近づく] 日が暮れないうちに帰ろう。 ② 涙／悲しみに暮れる [悲しくて何もできない状態になる] 息子を突然失い、両親は深い悲しみに暮れていた。 ③ 途方に暮れる [どうしたらいいかわからない状態になる] 何をしても赤ちゃんが泣きやまないので、すっかり途方に暮れてしまった。
こたえる	① [苦痛が体に大きく影響する] 今年の夏は暑さがこたえた。 ② こたえられない [とてもいい] スポーツの後のビールはこたえられない。
凝る （こ）	① [一つのことを極めようとして夢中になる] 弟は今写真に凝っている。 ② [細かい箇所までいろいろと工夫する] 凝ったデザインのドレスを着る。 ③ [筋肉が固くなる] 長時間パソコンをしていたら、肩が凝ってしまった。
さらう	① [油断している間に奪って逃げる] 子供をさらった犯人が金を要求してきた。 ② [人気や話題を独占する] 大物女優の結婚が世間の話題をさらっている。 ③ [底にたまったものを取り除いてきれいにする] 池をさらって大掃除をする。
仕切る （しき）	① [場所をいくつかに分ける] カーテンで部屋を二つに仕切っている。 ② [ある場や催しなどを中心になってまとめる] 店長になって店を仕切る。
しのぐ	① [困難な状況を何とか過ごす] 遭難者は木の実を食べて飢えをしのいだ。 ② [程度や能力が上だ] 続編は前作をしのぐおもしろさだと評判だ。
断つ （た） 絶つ （た）	① [続けていたことをやめる] 健康のためにたばこを断つことにした。 ② 断たれる [収入や電力などの供給が止まる] 大地震でガスの供給が断たれた。 ③ 断たれる [希望や夢がなくなる] 最後の望みが断たれてしまった。 ④ [関係を切ったり、連絡をしなくなる] 先月出港した船が消息を絶っている。 ⑤ 命を絶つ [死ぬ] その作家は、作品完成の一か月後、自ら命を絶った。 ⑥ 後を絶たない [次々と続く] 飲酒運転による悲惨な事故が後を絶たない。

募る （つの）	① [感情が強くなる] 景気は悪化する一方なので、将来に不安が募る。 ② [募集する] 広告でマラソン大会の出場者を募っている。
遠ざかる （とお）	① [遠くに離れる] 船が次第に岸から遠ざかっていく。 ② [記憶や意識が薄れる] この事件も次第に人々の記憶から遠ざかっていく。 ③ [長い間そのことをしなくなる] 2002年以来Aチームは優勝から遠ざかっている。
粘る （ねば）	① [柔らかでよく伸び、ものにくっつきやすい] よく粘る納豆だ。 ② [あきらめずに続ける] 選手たちは最後まで粘ったが、結局負けてしまった。 ③ [長時間続ける] コーヒー一杯で三時間も粘る客がいて困る。
はかる 図る （はか） 謀る （はか） 諮る （はか）	① [推測する] 私には彼の本当の気持ちがはかりかねる。 ② [いい時期をねらう] 失礼にならないよう、タイミングをはかって席を立つ。 ③ [実現するように計画・努力する] 事業の拡大を図り、海外市場に進出する。 ④ [相手に損害を与えることを計画する] 国王の暗殺を謀ったが失敗した。 ⑤ [会議で相談する] この案を会議に諮って決定する。
はじく	① [跳ね返る力でものを強く打つ] グラスを指ではじくと、きれいな音がする。 ② [液状のものを吸収せず寄せつけない] 雨をはじく加工がされたコート。 ③ [条件に合わないものを受け付けない] 迷惑メールは自動的にはじかれる。
弾む （はず）	① [弾力のあるものが勢いよく跳ね返る] テニスのボールはよく弾む。 ② [呼吸が激しくなる] 息子が息を弾ませて走ってきた。 ③ [期待でうきうきする] 明日から新学期だと思うと、期待に心が弾む。 ④ [話が楽しくて活発に続く] 時間がたつのも忘れるほど話が弾んだ。 ⑤ [声に楽しい気持ちが表れている] 娘が弾んだ声で電話してきた。 ⑥ [気前よくお金を多目に出す] サービスがよかったので、チップを弾んだ。
控える （ひか）	① [準備して待つ] スピーチの順番が来るまで隣の部屋で控えている。 ② [少し後に特別な予定がある] 姉は三か月後に結婚式を控えている。 ③ [行動や量を制限する] 健康のためには塩分を控えたほうがいい。 ④ [いざというときのために記録する] 手帳に学校の電話番号を控えておく。

響く ひび	① [音が反響する] お風呂の中は声がよく響く。 ② [音が広がり遠くまで聞こえる] 早朝の公園にボールを打つ音が響いている。 ③ [心に強く感じる] 彼のスピーチは出席者全員の胸に深く響いた。 ④ [影響する] 宿題を提出しないと成績に響く。
ふるまう	① [人からそう見えるような行動をする] 人前では明るくふるまっている。 ② [人に酒や料理をごちそうする] 部長が手料理をふるまってくださった。
紛れる まぎ	① [ほかのものに混じって区別できなくなる] 貴重品がほかの荷物に紛れないように気を付ける。 ② [ほかのことに注意が向いてやるべきことを忘れる] 忙しさに紛れて返事を書くのを忘れていた。 ③ [ほかのことに注意が向いて不快な気持ちが薄れる] 学校にいると気が紛れるのだが、一人になると彼のことばかり考えてしまって寂しくなる。
もがく	① [苦しがって体を動かす] 強盗に口をふさがれ、必死にもがいて抵抗した。 ② [悪い状況を変えようと必死でいろいろなことをする] どんなにもがいても、この辛い現実から逃れることはできない。
もむ	① [手でつかんだり押したりする] 疲れたので息子に肩をもんでもらった。 ② もまれる [周りの人に押される] 満員電車でもまれてケーキがつぶれた。 ③ もまれる [さまざまな力を受けて苦労を重ねる] 息子も就職して社会にもまれれば、少しは成長するだろう。
催す もよお	① [開催する] 地元チームの優勝を祝って、さまざまな行事が催された。 ② [生理的な現象が起こる] その匂いをかいだ瞬間、吐き気を催した。
漏れる も	① [液や光や音が隙間や穴から出る] ガスが漏れているような匂いがする。 ② [隠していた情報が外部に知られる] 社外の人間に情報が漏れてしまった。 ③ [必要な事柄が記載されず抜けてしまう] 会員の名前がいくつか名簿から漏れていたので、もう一度名簿を作り直した。 ④ [選考で落とされる] 田中選手は代表選考から漏れてしまった。 ⑤ [感情などが表に出る] 試合が終わった瞬間、観客席からため息が漏れた。

Ⅱ．基本練習 ≫

1 連語　一緒に使う言葉を覚えよう。

例のように一緒に使う言葉を線で結びなさい。

(1)　罪・ミス・失敗・犯罪　・　　　・をさらう

　　　飢え・空腹・雨風・寒さ・　　　・をしのぐ

　　　人気・話題・優勝　　・　　　　・を犯す

　　　氷・岩・骨・夢　　　・　　　　・を砕く

(2)　行事・会・吐き気・眠気・　　　・を仰ぐ

　　　指示・協力・判断・指導・　　　・を催す

　　　危険・人の迷惑・家庭　・　　　・を顧みない

　　　関係・消息・連絡・命　・　　　・を絶つ

(3)　がん・病・毒・ウイルス・　　　・に暮れる

　　　悲しみ・涙・悲嘆・途方・　　　・にかなう

　　　条件・目的・道理・礼儀・　　　・に紛れる

　　　人込み・闇・忙しさ　・　　　　・に侵される

(4)　町・家計・企業・生活　・　　　・がかなう

　　　望み・希望・夢　　　・　　　　・が潤う

　　　不安・思い・寂しさ　・　　　　・がこたえる

　　　寒さ・暑さ・睡眠不足・　　　　・が募る

2 意味　意味の広がりに気を付けよう。

a、bの（　　）に共通して入る言葉を▢▢▢の中から一つ選び、必要なら形を変えて書きなさい。

(1)　| あおぐ　　うえる　　こたえる　　はじく　　ひびく　　もむ |

　　① a　先生の怒鳴り声が隣の教室にまで（　　　　　）いる。

　　　　b　日本国内の輸出中心の企業の売り上げに、円高が（　　　　　）いるのは確かだ。

　　② a　露天風呂（ろてんぶろ）では、自然の中、星空を（　　　　　）ながらお風呂（ふろ）を楽しめます。

　　　　b　この病気に関しては、専門医の診断を（　　　　　）ほうがよいでしょう。

　　③ a　たまに手足を（　　　　　）と、血行がよくなっていいですよ。

　　　　b　毎朝通勤ラッシュに（　　　　　）ながら会社へ行くのは大変だ。

　　④ a　世界には、食べ物がなくて（　　　　　）いる人々が大勢いる。

　　　　b　家庭の愛情が十分得られず、愛情に（　　　　　）子供がいる。

⑤　a　このバッグは、雨や汚れを（　　　　　）ように加工されている。

　　b　製品全体の約3％が出荷前に不良品として（　　　　）いる。

⑥　a　年を取って、階段の上り下りが体に（　　　　）ようになった。

　　b　日本各地の鉄道を紹介するこの番組は、ファンには（　　　　）ない内容だ。

(2)　| かすむ　　こる　　つのる　　はかる　　もがく　　もれる |

①　a　友人は占いに（　　　　　）いて、新しい占いや有名な店などいろいろ教えてくれる。

　　b　キッチンが狭いので、あまり（　　　　）料理は作れない。

②　a　必死に水中で（　　　　　）、やっと水面に顔を出すことができた。

　　b　世界中が不況に（　　　　）いる中で、時計業界も例外ではない。

③　a　年のせいか、最近目が（　　　　）よく見えない。

　　b　彼女が美しすぎて、ほかの人が（　　　　）見える。

④　a　A社は社員の意識改革を（　　　　）べく、新たな研修制度を導入した。

　　b　料理長は、客の様子を見ながら、次の料理を出すタイミングを（　　　　）いる。

⑤　a　A大学は昨年から寄付金制度を設け、企業や個人からの寄付を（　　　　）いる。

　　b　ふるさとを離れて三十五年。年々故郷への思いが（　　　　）ばかりです。

⑥　a　もし顧客の個人情報が外部に（　　　　）ば、会社の存続も危うくなる。

　　b　残念ながら抽選に（　　　　）しまい、大会には出場できないことになった。

3 用法　使い方に気を付けよう。

下線の語の使い方が正しい文には○、正しくない文には×を（　）に入れなさい。

また、間違っている場合には、下線の言葉に代わる正しい言葉を書きなさい。

(例)　男は私のかばんを奪い、人込みにかすんで逃走した。　　　　　（ × ）　＿紛れて＿

(1)　専門的な話を子供にもわかるようにしのいで説明する。　　　　（　）＿＿＿＿＿＿

(2)　このテニスサークルをしきっているのは、会長の田中さんだ。　（　）＿＿＿＿＿＿

(3)　最近は仕事が忙しくて、すっかりスポーツからもれている。　　（　）＿＿＿＿＿＿

(4)　入試を来月にくれているのに、息子は遊んでばかりいる。　　　（　）＿＿＿＿＿＿

(5)　彼は自分のおかした過ちを認め、深く反省している。　　　　　（　）＿＿＿＿＿＿

(6)　結婚のお祝いに来てくれた友達に、料理やお酒をつのった。　　（　）＿＿＿＿＿＿

(7)　彼とは初対面だったが、話がねばって楽しかった。　　　　　　（　）＿＿＿＿＿＿

III. 実践練習 ≫

1. （　　）に入れるのに最もよいものを、1・2・3・4から一つ選びなさい。（1点×13問）

1 彼は事件の後も、何事もなかったかのように（　3　）いた。

    1 はかどって   2 ふるまって   3 まぎれて   4 ひかえて

2 A国政府は、今後十年間でエネルギー消費量の20％削減を目標に（　1　）。

    1 みたした   2 かかげた   3 たった   4 とおざかった

3 帰宅途中の小学生が何者かに（　4　）という事件が発生した。

    1 あおがれる   2 たたれる   3 やとわれる   4 さらわれる

4 試験前は落ち着かないが、友達といると少しは不安が（　4　）。

    1 まぎれる   2 かすむ   3 つのる   4 やわらげる

5 新社長就任を祝い、会社でパーティーが（　3　）。

    1 ふりこまれた   2 はじかれた   3 もよおされた   4 さらわれた

6 彼は危険を（　2　）でもあの山に登るつもりらしい。

    1 おちいって   2 はかって   3 おかして   4 かえりみて

7 この弁当箱は中が二つに（　1　）あって使いやすい。

    1 しきって   2 つのって   3 ひかえて   4 めくって

8 この問題には政治家が（　4　）いるから、解決が難しい。

    1 かなって   2 なついて   3 ねばって   4 からんで

9 彼は三年前に家を出て以来、消息を（　2　）いる。

    1 かばって   2 たって   3 はじいて   4 かなって

10 彼女は（　1　）声でうれしそうに大学合格を母に伝えた。

    1 はずんだ   2 うるおった   3 ねたんだ   4 かすんだ

11 観光を振興すれば、サービス業を中心に地域全体が（　4　）。

    1 はずむ   2 かなう   3 そこなう   4 うるおう

12 男は医者にがんだと告げられ、悲嘆に（　1　）いた。

    1 おとろえて   2 くれて   3 もがいて   4 まぎれて

13 その場所で一時間（　2　）が、結局魚は一匹も釣れなかった。

    1 もんだ   2 こなした   3 しきった   4 ねばった

2. ＿＿の言葉に意味が最も近いものを、1・2・3・4から一つ選びなさい。(2点×3問)

1 最近、青少年による犯罪があとをたたない。

   1 目立たない   2 続いている   3 減っている   4 起こっていない

2 数学は彼にかなわない。

   1 できない   2 必要だ   3 対抗できない   4 負けない

3 A社は今年度、新入社員の採用をひかえるそうだ。

   1 予定している   2 終了した   3 行わない   4 増やす

3. 次の言葉の使い方として最もよいものを、1・2・3・4から一つ選びなさい。(2点×3問)

1 しのぐ

   1 健康のために、たばこはしのいだほうがいい。

   2 彼のスピーチは感動的で、胸にしのいだ。

   3 A社の新製品は他社をしのぐ売れ行きだ。

   4 最後の望みがしのがれてしまった。

2 もれる

   1 箱がトラックからもれて道路に落ちた。

   2 演奏が終わった瞬間、彼女の口からため息がもれた。

   3 吐き気をもれて、トイレに駆け込んだ。

   4 先日の雨で田畑がもれている。

3 かえりみる

   1 消防士は危険をかえりみず炎の中に飛び込んだ。

   2 忘れ物をしたので、いったん家にかえりみよう。

   3 この薬を飲むと、十歳は若くかえりみます。

   4 大型スーパーの出店で、町はすっかりかえりみてしまった。

Ⅰ. 言葉と例文 ≫

1 ウォーミングアップ

ある大学の先生に初めて手紙を書きました。でも、少し表現に問題があるようです。……

先生のご著書はみんな、とっても興味深く読んでいました。

2 言葉

---

1. 副詞的表現

① 勉強を (**おろそかにして**・いい加減にして・怠けて) いたので、留年してしまった。

② 相手が怒らないように (やんわり・**遠回しに**・それとなく・間接的に) 注意した。

③ 彼は「興味がない」と (そっけなく・**無愛想に**・ぶっきらぼうに・冷たく) 言った。

④ 反対されるとか思ったが、(**すんなり**・あっさり・問題なく) OKが出た。

⑤ 計画が (**円滑に**・スムーズに・順調に) 進んでいる。

⑥ 十年も前の出来事だが、(**鮮やかに**・鮮明に・はっきりと) 記憶に残っている。

⑦ 興味を引くため、事件を (**誇張して**・大げさに・オーバーに) 報道することがある。

⑧ いつも文句を言う上司を (うっとうしく・煙たく・**煩わしく**・うるさく) 思う。

⑨ どうしたのだろう。みんな、(いやに・**変に**・妙に) 親切だ。

⑩ 荷物が重いので (**代わる代わる**・交互に・交代で) 持つことにした。

⑪ 突然人が飛び出してきたので、(**とっさに**・反射的に・思わず) ハンドルを切った。

⑫ 同級生と電話していたら、(不意に・突如・突然・急に) 故郷に帰りたくなった。

⑬ 上司はどんなことがあっても (終始・常に・いつも) 冷静だった。

⑭ 書類が必要なのは (あらかじめ・**事前に**・前もって・以前から) わかっていたはずだ。

⑮ 必死に走って、(辛うじて・ぎりぎり・どうにか・何とか) 約束の時間に間に合った。

⑯ この十年でコミュニケーションの手段が (**著しく**・非常に・大きく) 変化した。

⑰ 環境問題は (**極めて**・非常に・大変・とても) 重要な問題だ。

⑱ 受験した大学は、(**ことごとく**・すべて・残らず・全部) 落ちてしまった。

⑲ データ入力の仕事を (**丸ごと**・そっくり・すべて・全部) 関連会社に委託した。

⑳ (**もっぱら**・主に・ほとんど・大体) 彼が話していて、私は聞いていた。

㉑ これからの計画を (**大まかに**・大ざっぱに・簡単に) 説明する。

㉒ 面倒な手続きは (**一切**・まったく・全然) 必要ない。

㉓ 彼女は私の話を (**まるっきり**・まったく・全然) 信じていないようだった。

㉔ 昨日から (**ろくに**・満足に・十分に・ほとんど) 食べていないので、空腹だ。

㉕ いつもは機嫌が悪いのに、今日は (いやに・**やけに**・非常に・ひどく) 機嫌がいい。

㉖ 自分に都合が悪いことを (あえて・**強いて**・わざわざ・無理に) 言う必要はない。

2. 形容詞的表現

① 叔母はいつも (**エレガントな**・品がいい・上品な) 服装をしている。

② どんな状況でも生きていける (**たくましい**・**タフな**・強い) 人になってほしい。

③ (**見所がある**・**有望な**・将来性がある・期待できる) 人材の獲得が会社の将来にかかわる。

④ (**見苦しい**・みっともない・恥ずかしい) ところをお見せして、申し訳ありません。

⑤ 何をするにも (**いい加減な**・**ルーズな**・だらしない) 人には、重要な仕事を頼めない。

⑥ お客様に対して (**ぞんざいな**・**無礼な**・失礼な) 態度を取ることは許されない。

⑦ 一緒に行こうと誘ったが、「一人で行けば」と (**つれない**・冷淡な・冷たい) 返事だった。

⑧ 記憶が (**あやふやで**・あいまいで・はっきりしなくて)、自信がない。

⑨ 新しい企画を進めるのに (**ふさわしい**・適切な・合った) 人材を採用した。

⑩ 条件を変えたほうが (**好ましい**・**望ましい**・よい) 結果になると思う。

⑪ ようやく熱は下がったが、まだ気分は (**冴えない**・すっきりしない・よくない)。

⑫ 今日は天気もよく、(**すがすがしい**・さわやかな・気持ちのいい) 朝だ。

⑬ (**ばかばかしい**・ばからしい・くだらない) ストーリーだが、それが面白い。

⑭ 無駄なものを買わずに (**簡素な**・**シンプルな**・質素な) 生活を心掛けている。

⑮ 名前が似ていて、とても (**紛らわしい**・ややこしい・間違えやすい)。

⑯ (**煩わしい**・ややこしい・面倒な・面倒くさい) ことにはあまりかかわりたくない。

⑰ 日本は1960年代に (**著しい**・**目覚しい**・驚くべき) 発展を遂げた。

Ⅱ. 基本練習 ≫

1 意味　意味の違いに気を付けよう。

例のように意味の近い言葉を線で結びなさい。

(1)　ことごとく・　　　・変に　　　　(2)　ろくに　　・　　　・まったく

　　　大まかに・　　　・前もって　　　　　あえて　・　　　・無理に

　　　あらかじめ・　　　・スムーズに　　　　　一切　　・　　　・いい加減に

　　　円滑に・　　　・すべて　　　　　おろそかに・　　　・十分に

　　　いやに・　　　・大ざっぱに　　　　　無愛想に・　　　・そっけなく

(3)　ふさわしい・　　　・好ましい　　　(4)　ばかばかしい・　　　・品がいい

　　　ぞんざいな・　　　・強い　　　　　有望な　・　　　・はっきりしない

　　　望ましい・　　　・シンプルな　　　　　つれない・　　　・期待できる

　　　簡素な・　　　・適切な　　　　　エレガントな・　　　・くだらない

　　　タフな・　　　・無礼な　　　　　あやふやな・　　　・冷たい

2 意味　意味の違いに気を付けよう。

￭￭￭￭の中から適当な言葉を選んで、(　　　)に入れなさい。

(1)　| もっぱら　　ことごとく　　あらかじめ　　やんわり |

　　① (　　　　　　　)レストランに予約の電話を入れておいた。

　　② 相手が傷つかないように(　　　　　　　)断った。

　　③ 休みの日は、(　　　　　　　)インターネットをしている。

　　④ 大きなプロジェクトを(　　　　　　　)成功させてきた。

(2)　| とっさに　　交互に　　大まかに　　すんなり |

　　① 細かなことは後にして、まず(　　　　　　　)計画だけ立てよう。

　　② 自分の提案した企画が(　　　　　　　)通ったので、ほっとした。

　　③ 何かが落ちてくるのが見えて、(　　　　　　　)前を歩いている人に「危ない」と叫んだ。

　　④ 今日は作業員が少ないので、休憩は一人ずつ(　　　　　　　)取ることにしよう。

(3) | 丸ごと　　終始　　煙たく　　ろくに |

① 布団を（　　　　　）洗える洗濯機がほしい。

② 会議の間、社長は（　　　　）無言だった。

③ 昔は親を（　　　　　）思っていたが、大人になって親の気持ちがわかった。

④ （　　　　　）人の話を聞かないで、返事をするのは失礼だ。

(4) | 煩わしい　　無礼な　　見苦しい　　シンプルな |

① 引っ越しに必要な（　　　　　）手続きは会社がしてくれたので、助かった。

② 彼の部屋は、机とベッドがあるだけの（　　　　）部屋だった。

③ 失敗したときに、いろいろと言い訳をするのは（　　　　）と思う。

④ 先生に対して（　　　　）ことをしてしまったと、あとから反省した。

(5) | ルーズな　　紛らわしい　　すがすがしい　　著しい |

① 円安の影響で、その会社の売上高は（　　　　）伸びを記録した。

② （　　　　）気分で朝を迎えた。

③ 彼は時間に（　　　　）性格なので、いつも遅刻してくる。

④ この二つの漢字は（　　　　）形をしているので、よく読み方を間違える。

3 連語　　一緒に使う言葉を覚えよう。

例のように一緒に使う言葉を線で結びなさい。

(1)　あやふやな・あいまいな・　　　　　・態度・言葉・人

　　簡素な・質素な　　　　　・　　　　　・記憶・指示・情報

　　目覚しい・驚くべき　　　・　　　　　・生活・暮らし・服装

　　たくましい・タフな　　　・　　　　　・人・体・生き方

　　つれない・冷淡な　　　　・　　　　　・発展・進歩・働き

(2)　ろくに・満足に　　　　　・　　　　　・断る・反対する

　　やんわり・遠回しに　　　・　　　　　・受け入れる・あきらめる

　　鮮やかに・鮮明に　　　　・　　　　　・言う・分ける

　　すんなり・あっさり　　　・　　　　　・寝ていない・食べていない

　　大まかに・大ざっぱに　　・　　　　　・思い出す・描く

III. 実践練習 ≫

1. ＿＿＿の言葉に意味が最も近いものを、1・2・3・4から一つ選びなさい。(1点×25問)

1 いつも親は文句ばかり言うので、うっとうしくてたまらない。
    1 見苦しくて   2 ややこしくて   3 悩ましくて   4 煩わしくて

2 このディスプレイはとても鮮明に映像を映します。
    1 あきらかに   2 あざやかに   3 さわやかに   4 たくみに

3 どんな困難にも負けないたくましい精神を持ちたい。
    1 ショックな   2 タフな   3 テンポな   4 ビッグな

4 大自然の中ですがすがしい一日を迎えた。
    1 なごやかな   2 かろやかな   3 さわやかな   4 はなやかな

5 自分の成長のためにあえて困難な道を選んだ。
    1 しいて   2 はっきりと   3 もっと   4 すんなり

6 どうしたのだろう。いつもはうるさい隣の家が、今日はいやに静かだ。
    1 ひどく   2 かなり   3 ろくに   4 妙に

7 あまりにばかばかしい意見で、途中から聞く気がしなかった。
    1 くだらない   2 たくみな   3 しぶとい   4 ぞんざいな

8 計画が円滑に運ぶように、よく準備をする必要がある。
    1 簡単に   2 実際に   3 順調に   4 素直に

9 この仕事は未経験者でも応募できるが、三年以上の経験があるほうが望ましい。
    1 よい   2 期待する   3 ふさわしい   4 希望する

10 今日はやけに暑くて、クーラーをつけても部屋が冷えない。
    1 たえず   2 ひどく   3 ふいに   4 よほど

11 彼女はとても優秀で見所のある学生だ。
    1 待望の   2 目立つ   3 役に立つ   4 有望な

12 不意に声を掛けられて、振り返ると高校時代の友人だった。
    1 いやに   2 事前に   3 とっさに   4 突然

13 合格点の六十点が取れたので、ぎりぎり不合格にならずに済んだ。
    1 かろうじて   2 すっかり   3 じっくり   4 ようやく

14 このままでは成功する可能性は極めて低い。

1 確実に　　　　2 十分に　　　　3 絶対に　　　　④ 非常に

15 昨日はよく寝たのに、どうも頭がさえない。

1 痛い　　　　2 うっとうしい　　③ すっきりしない　4 弱い

16 見苦しい言い訳をして、責任から逃げようとしてはいけない。

1 わずらわしい　2 ひどい　　　　③ みっともない　4 ものすごい

17 今は忙しいので、そんな時間の掛かる面倒なことにはかかわりたくない。

1 あやふやな　　② うっとうしい　3 むずかしい　　4 ややこしい

18 私と友人とは性格はまるっきり違うが、なぜか気が合う。

1 すべて　　　　2 いかにも　　　3 そっくり　　　④ まったく

19 彼女のふるまいは非常にエレガントだ。

1 好感　　　　　2 自然　　　　　③ 上品　　　　　4 上流

20 急ブレーキがかかって倒れそうになったので、反射的に近くの人につかまった。

1 いきなり　　　2 うっかり　　　③ 思わず　　　　4 急に

21 そんなにいい加減だと、誰にも信用されなくなりますよ。

1 うっかり　　　② ぞんざい　　　3 マイペース　　④ ルーズ

22 彼女は新入社員だが、目覚しい働きをして注目されている。

1 驚くべき　　　2 有望な　　　　3 さわやかな　　4 望ましい

23 そんなに失礼な返事の仕方をすると、穏やかな人でも腹が立つと思う。

1 おおざっぱな　2 けっこうな　　③ ぞんざいな　　4 みっともない

24 ワインも好きですが、最近はもっぱらビールを飲んでいます。

1 いつも　　　　2 おもに　　　　3 ことごとく　　4 なんだか

25 無駄なお金は一切払うつもりはない。

1 完全に　　　　② まったく　　　3 ろくに　　　　4 無理に

Ⅰ. 言葉と例文 ≫

1 ウォーミングアップ

（　　　　）に入る言葉は？……

学生：先生、今日の服、すてきですね。　　　　先生：そんなごまをすっても、何もあげないよ。

学生：先生、「ごまをする」っていうのは？　　先生：「おだてる」っていう意味だよ。

学生：「おだてる」っていうのは？　　　　　　先生：「お世辞を言う」っていう意味だよ。

学生：「お世辞を言う」っていうのは？　　　　先生：「（　　　　　　　）」っていう意味だよ。

学生：ああ、やっとわかりました。　　　　　　先生：君はN1の試験、本当に受けるのかね？

2 言葉

1. 動詞

① 何度も同じことを言われて（**うんざりする・うっとうしく思う**・嫌になる）。

② 親はいつも子供のことを（**案じて**・気にして・心配して）いるものだ。

③ 他人の家だと（**気兼ねして**・気を遣って・遠慮して）リラックスできない。

④ 自分の気持ちを正直に（**打ち明けた**・告白した・告げた）。

⑤ そんなに（**おだてても・お世辞を言っても・ごまをすっても**・ほめても）何も出ないよ。

⑥ これまでの自分の生活の仕方を（**省みる**・思い返す・振り返る・反省する）。

⑦ 時には過去を（**振り返る・回顧する**・思い返す・思い出す）ことも必要だ。

⑧ 自分の全力を（**尽くして・傾けて・注いで**・集中して）仕事に取り組む。

⑨ 自分の目的を（**やり遂げる・達成する・果たす**）までは国に帰れない。

⑩ 引き受けた仕事を途中で（**投げ出す・放り出す**・やめる）のは、無責任だ。

⑪ 彼とは子供のときからずっと（**張り合って**・競って・**競い合って**・競争して）きた。

⑫ 今回は（**見逃して・大目に見て**・許して・見なかったことにして）いただけませんか。

⑬ 困っていたら、先輩が（**フォローして・サポートして**・助けて）くれた。

⑭ 新しいクラスにもやっと（**なじんで・溶け込んで**・慣れて）きたようだ。

⑮ 二人の関係は（**こじれた**・悪化した・**ぎくしゃくした・もつれた**）ままだ。

⑯ 暑い中、重い荷物を持って歩いていたので、（**ばてて・くたびれて**・疲れて）しまった。

⑰ 感動して、涙が（**込み上げて**・あふれて・わいて・出て）きた。

⑱ 三日前に「明日帰る」と電話してきたきり、連絡が（**途絶えた**・取れなくなった・なくなった・できなくなった）。

⑲ 来月、北海道支店に（**異動・赴任・転勤**）します。

⑳ あなたの症状に（**該当する・当てはまる**・合う）項目をチェックしてください。

㉑ わかりにくいところは、説明を (**補足した**・**付け加えた**・補った・足した)。

㉒ あなたの目的に (**かなった**・適した・**合った**) 方法を考えよう。

㉓ 話し合いの結果、契約条件を (定めた・**確定した**・設定した・決定した・決めた)。

㉔ よい状態を (**持続させる**・**長続きさせる**・**キープする**・継続させる・維持する) ために、努力する。

㉕ 信号機トラブルのため運転を (**見合わせて**・中止して・やめて) いる。

㉖ 各部屋にクーラーを (設置して・**備え付けて**・**取り付けて**・備えて・付けて) ある。

㉗ 古くなった家を (**改修した**・**改装した**・**リフォームした**・改築した・修繕した・直した)。

2. 名詞

① この会社は、これまでの (**経歴**・**キャリア**・経験) を生かせる会社だと思う。

② これまでの (**経緯**・**いきさつ**・事情) を考えれば、成功する可能性は低い。

③ 新たな都市計画の (**構想**・プラン・計画) を練っている。

④ 自分のペースで勉強できるのが、Eラーニングの (**利点**・**メリット**・長所・よい点) だ。

⑤ やせることをあきらめていた人に (**朗報**・喜ばしい知らせ・よい知らせ) がある。

⑥ (**最善**・**ベスト**・全力) を尽くして頑張るつもりだ。

⑦ 自分の (**過ち**・ミス・誤り・間違い) を素直に認める。

⑧ 現在のデータで二十年後の経済を予測することは (**無意味だ**・**ナンセンスだ**・意味がない)。

⑨ 駅とは (**あべこべ**・逆・反対) の方向へ行ってしまって、道に迷ってしまった。

⑩ 考え方は人によって (**まちまち**・さまざま・それぞれ・いろいろ) だ。

⑪ こんなに不況が続くと、将来の (**見通し**・**目途**・予測) がつかない。

⑫ (**前途**・**行く先**・将来) には困難があるだろうが、負けないでほしい。

⑬ (**一切**・すべて・全部) の権利は、この小説を書いた作者が持っている。

Ⅱ. 基本練習 ≫

1 意味　意味を確認しよう。

例のように意味の近い言葉を線で結びなさい。

(1)
　見通し　　・　　　　・プラン
　メリット　　・　　　　・経歴
　一切　　　・　　　　・予測
　キャリア　　・　　　　・全部
　構想　　　・　　　　・よい点

(2)
　最善　　　・　　　　・反対
　ナンセンス・　　　　・将来
　あべこべ　・　　　　・無意味
　過ち　　　・　　　　・ベスト
　前途　　　・　　　　・ミス

(3)
　見合わせる　・　　　　・思い返す
　うんざりする・　　　　・うっとうしく思う
　省みる　　　・　　　　・やめる
　果たす　　　・　　　　・助ける
　サポートする・　　　　・達成する

(4)
　放り出す　・　　　　・悪化する
　こじれる　・　　　　・やめる
　キープする・　　　　・気を遣う
　気兼ねする・　　　　・疲れる
　ばてる　　・　　　　・維持する

2 意味　意味の違いに気を付けよう。

☐☐☐の中から適当な言葉を選んで、(　　)に入れなさい。

(1) | 前途　　過ち　　構想　　目途 |

① 酔っ払い運転による事故で、(　　　　　　)ある若者が亡くなった。

② 順調に回復してきて、ようやく退院の(　　　　　)が立った。

③ 何度も話し合って、新たな企画の(　　　　　)を固めていった。

④ 同じ(　　　　　)を繰り返さないように注意する。

(2) | 一切　　経歴　　行く先　　あべこべ |

① 今度の社長は、企業再建に関するすばらしい(　　　　　　)の持ち主だ。

② このまま学校にも行かず遊んでいるだけであれば、あなたの(　　　　　)が心配だ。

③ テーブルのセッティングを確認したら、フォークとナイフの位置が(　　　　　)だった。

④ 申し訳ございません。(　　　　　)の責任は、私にあります。

(3) | 打ち明ける　　張り合う　　尽くす　　なじむ |

① 自分で決めた以上、ベストを(　　　　　)つもりだ。

② どんな真実であっても(　　　　　)ことが、彼女にとって本当にいいのだろうか。

③ 子供は新しい環境に(　　　　　)のが早い。

④ (　　　　　)相手がいないと、なんだかやる気が起きない。

(4)　| 案じる　　おだてる　　かなう　　見逃す |

①建設条件に（　　　　　　　）土地が見つかった。

②あなたは、人を（　　　　　　　）のがうまいですね。

③手紙から、母が私のことを（　　　　　　）気持ちが伝わってきた。

④どんな小さな犯罪でも（　　　　　）ことはできない。

(5)　| 異動する　　該当する　　途絶える　　補足する |

①　来年、大阪に（　　　　　　　）ことになるかもしれない。

②　ここに書かれている基準に（　　　　　）場合は、奨学金が受け取れる。

③　突然、連絡が（　　　　　　）と何があったのかと心配になる。

④　この文書だけでは説明が足りないので、もっと（　　　　　　　）資料がほしい。

3 連語　　言葉のつながりを考えよう。

□□□の中から適当な言葉のグループを選びなさい。（　　）には助詞を入れなさい。

(1)
| 途絶える・なくなる　　傾ける・注ぐ |
| 込み上げる・わく　　確定する・決める　　果たす・達成する |

㋑　［全力・情熱・全精力］（　を　）　<u>傾ける・注ぐ</u>

①　［悲しみ・喜び・怒り］（　　）　＿＿＿＿＿＿＿

②　［方針・範囲・金額］（　　）　＿＿＿＿＿＿＿

③　［連絡・音信・交流］（　　）　＿＿＿＿＿＿＿

④　［目的・使命・任務］（　　）　＿＿＿＿＿＿＿

(2)
| 投げ出す・放り出す　　見合わせる・中止する |
| こじれる・もつれる　　かなう・合う　　なじむ・慣れる |

①　［交渉・話・関係］（　　）　＿＿＿＿＿＿＿

②　［環境・生活・職場］（　　）　＿＿＿＿＿＿＿

③　［出発・出席・運転］（　　）　＿＿＿＿＿＿＿

④　［仕事・政権・任務］（　　）　＿＿＿＿＿＿＿

⑤　［目的・条件・道理］（　　）　＿＿＿＿＿＿＿

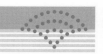

Ⅲ. 実践練習 ≫

1. ＿＿＿の言葉に意味が最も近いものを、1・2・3・4から一つ選びなさい。(1点×25問)

1 風邪が悪化してしまい、入院した。

　　1　はかどって　　　2　こじれて　　　3　もつれて　　　4　ばてて

2 大企業を退職して、起業した経緯を聞いた。

　　1　いきさつ　　　　2　状況　　　　　3　条件　　　　　4　目的

3 ガス器具を取り付ける工事をする。

　　1　設置する　　　　2　設定する　　　3　配置する　　　4　配備する

4 これまでの人生を振り返り、一冊の本にまとめた。

　　1　回顧し　　　　　2　記録し　　　　3　発表し　　　　4　復習し

5 彼は学生時代、演劇に情熱を傾けていた。

　　1　維持して　　　　2　注いで　　　　3　込み上げて　　4　あふれて

6 このニュースは、我が社にとって朗報になるだろう。

　　1　残念な知らせ　　2　大切な知らせ　3　変な知らせ　　4　よい知らせ

7 このシステムを使うと、どんな利点がありますか。

　　1　アイデア　　　　2　メリット　　　3　リミット　　　4　ポイント

8 携帯電話の使用がよいか悪いかという議論は、今の時代にはナンセンスだ。

　　1　意外だ　　　　　2　意味がない　　3　大切だ　　　　4　はっきりしない

9 自分の責務を果たせてうれしい。

　　1　維持できて　　　2　手伝えて　　　3　持てて　　　　4　やり遂げられて

10 ようやくこれからの目途がついた。

　　1　期待　　　　　　2　希望　　　　　3　要求　　　　　4　予測

11 台所を改装する費用を銀行から借りた。

　　1　サポート　　　　2　スムーズ　　　3　セッティング　4　リフォーム

12 建築家として二十年のキャリアを持っている。

　　1　計画　　　　　　2　経験　　　　　3　回顧　　　　　4　前途

13 自分で作った野菜は形も大きさもまちまちだが、とてもおいしい。

　　1　いろいろ　　　　2　あれこれ　　　3　めいめい　　　4　あべこべ

14 結果の問い合わせはすべてお断りしています。

1 一切　　　　　2 一斉　　　　　3 全然　　　　　4 当然

15 期限を定めて、申し込みを受け付けることにした。

1 該当して　　　2 設置して　　　3 設定して　　　4 訂正して

16 自分の家だと思って、気兼ねなく過ごしてください。

1 遠慮　　　　　2 感謝　　　　　3 準備　　　　　4 不満

17 内容を補足する資料を添付しました。

1 おぎなう　　　2 かえりみる　　3 たすける　　　4 なおす

18 最初から全力で走ったので、最後にばててしまった。

1 勝って　　　　2 くたびれて　　3 負けて　　　　4 もつれて

19 あの二人は自分が一番になろうと、いつも競い合っている。

1 やり合って　　2 張り合って　　3 励まし合って　4 争い合って

20 疲れてくると、集中力を持続できない。

1 キープ　　　　2 セーブ　　　　3 フォロー　　　4 リフォーム

21 経済状態によっては、来年の新卒採用を見合わせる予定だ。

1 あてはめる　　2 すすめる　　　3 たもつ　　　　4 やめる

22 人工衛星との通信が途絶えてしまった。

1 中止して　　　2 見合わされて　3 できなくなって　4 止められて

23 これまでだまされていたことを知り、怒りが込み上げてきた。

1 思い返して　　2 つくして　　　3 溶け込んで　　4 わいて

24 また文句を言われるのかと思うと、うんざりする。

1 いやになる　　2 ぎくしゃくする　3 くたびれる　　4 たいくつする

25 失敗したとき、なぜうまくいかなかったのかを省みることが、成功につながる。

1 当てはめる　　2 振り返る　　　3 該当する　　　4 思い出す

Ⅰ. 言葉と例文 ≫

1 ウォーミングアップ

どれを使えばいい？……

A：部長が過労で倒れたそうですねえ。

B：いやあ。あんな（　過多　過密　過剰　）なスケジュールで仕事をしていたら、誰だって倒れますよ。

2 言葉

①	過剰（な）	［必要より多い］	肥満の第一の原因は、栄養の過剰な摂取です。
②	過多（な）	［多すぎる］	現代の食生活は塩分過多なので、注意が必要です。
③	過密（な）	［集中しすぎる］	都市部では、人口の過密化が問題となっていた。
④	過疎	［人口が少ないこと］	その村では近年過疎の問題が深刻化している。
⑤	過失	［不注意による失敗］	事故の原因は、相手側の過失にある。
⑥	簡易（な）	［簡単で手間がかからない］	簡易な検査機器で血糖値が測れるようになった。
⑦	簡便（な）	［簡単で便利］	調理の簡便さから、冷凍食品がよく売れている。
⑧	簡素（な）	［無駄がなく質素］	彼の設計した建物は簡素で飾り気がなかった。
⑨	簡略（な）	［細部が省かれ簡単］	その本は初心者向けに簡略に書かれている。
⑩	簡潔（な）	［簡単で要点がよくわかる］	あなたの志望理由を簡潔に述べなさい。
⑪	明朗（な）	［性格が明るい／隠しごとがない］	明朗で元気な彼は、みんなに好かれた。
⑫	明快（な）	［明らかでわかりやすい］	社長は今後の会社の方針を明快に語った。
⑬	明白	［明らかで疑う余地がない］	彼女が犯行にかかわっていることは明白だった。
⑭	明瞭（な）	［はっきりしている］	彼女の話し方は明瞭で聞きやすかった。
⑮	壮大（な）	［大きく立派］	火星に移住するという壮大な計画が立てられた。
⑯	盛大（な）	［集会などが大規模で立派］	山田先生の壮行会が盛大に行われた。
⑰	膨大（な）	［量や規模が非常に大きい］	この本は膨大な資料をもとに書かれている。
⑱	過大（な）	［大きすぎて実際と合わない］	両親から過大な期待をされて、昔は辛かった。
⑲	絶大（な）	［極めて大きい］	山本部長は会長から絶大な信頼を得ていた。
⑳	規範	［行動や判断の基準］	大人が子供たちに規範を示していく必要がある。
㉑	規約	［団体内で用いられる規則］	この学会の規約では、学生は会費が要りません。
㉒	規律	［集団生活の行為の基準］	規律が守れない人は寮から出ていってください。
㉓	規格	［生産されるものの共通の基準］	ビデオテープには二つの規格がありました。
㉔	規定（する）	［やり方・内容を決めた規則］	社内の規定で私用のメールは禁止されている。

㉕	発足（する） ほっそく	[組織が作られ、活動を開始する] この学会が発足して、十年になります。
㉖	発作 ほっさ	[病気の症状が突然表れる] 教授は心臓の発作で緊急入院した。
㉗	発覚（する） はっかく	[隠していた悪い行いが知られる] 汚職が発覚し、その議員は辞職した。
㉘	発散（する） はっさん	[中にたまったものを出す] ストレス発散にはカラオケが一番だよ。

㉙	補給（する） ほきゅう	[足りなくなったものを足す] 小まめに水分を補給することが大切です。
㉚	補充（する） ほじゅう	[決まった量になるまで足す] 職員の欠員を補充するために広告を出した。
㉛	補償（する） ほしょう	[損失を埋め合わせる] 地震の被災者には国が補償を行うべきだ。
㉜	補足（する） ほそく	[足りない情報を付け加える] この件について補足の説明をさせてください。
㉝	補完（する） ほかん	[不足分を足して完全にする] 学校での教育を補完する役割が塾にはある。

㉞	唖然（と） あぜん	[驚いて何も言えなくなる] 山口さんの服装の派手さに唖然としてしまった。
㉟	呆然（と） ぼうぜん	[驚きあきれてぼんやりする] 会社の倒産を知って、彼は呆然としていた。
㊱	漠然（と） ばくぜん	[具体的でなくはっきりしない] 将来に対して漠然とした不安を抱いている。
㊲	毅然（と） きぜん	[意思が強く動じない] 彼女は毅然とした態度で彼の誘いを断った。

㊳	弁明（する） べんめい	[事情を説明し理解を得る] 業績不振について弁明する機会が設けられた。
㊴	釈明（する） しゃくめい	[非難を受けて、事情説明をする] 汚職疑惑について釈明の会見が行われた。
㊵	弁護（する） べんご	[その人の立場を守る] 同僚が川口さんの責任ではないと彼を弁護した。
㊶	弁解（する） べんかい	[言い訳をする] 遅刻したのは事故のせいだと学生は弁解した。

㊷	持続（する） じぞく	[ある状態が続く／を続ける] この薬は効果が十二時間持続する。
㊸	維持（する） いじ	[ある状態を保つ] 体重を維持するには、運動が欠かせない。
㊹	継続（する） けいぞく	[行為を続ける／が続く] 条件を見直し、取引を継続することになった。
㊺	存続（する） そんぞく	[なくならずに続く] 市民の要望によって、博物館の存続が決まった。
㊻	続行（する） ぞっこう	[止めずに続けて行う] 雨になったが、小雨だったので、試合を続行した。

㊼	賛同（する） さんどう	[賛成し支持する] 大勢の方が私の考えに賛同してくださいました。
㊽	同調（する） どうちょう	[賛成し行動を共にする] 山田氏は田中氏に同調して新しい政党を作った。
㊾	同感 どうかん	[同じように感じ賛成だ] 赤字を減らすという点については、まったく同感です。
㊿	共感（する） きょうかん	[自分も同じように感じる] ドラマの主人公の生き方に共感を覚えた。
51	共鳴（する） きょうめい	[同じ考えを持つようになる] 彼の考え方に共鳴し、政治活動に参加した。

II. 基本練習 ≫

1 連語　一緒に使う言葉を覚えよう。

例のように一緒に使う言葉を線で結びなさい。

(1) 過密な・・・・・・評価・要求・負担
　　過剰な・・・・・・反応・投資・装飾
　　過大な・・・・・・日程・ダイヤ
　　過疎の・・・・・・解消・進行・地域

(2) 簡潔な・・・・・・修理・製造法・道具
　　簡略な・・・・・・生活・外観・結婚式
　　簡易な・・・・・・文章・主張・発言
　　簡素な・・・・・・流れ・報告・裁判

(3) 明白な・・・・・・説明・発想・世界観
　　明朗な・・・・・・発音・印刷・答え
　　明瞭な・・・・・・性格・歌声・青年
　　明快な・・・・・・証拠・事実・違反

(4) 壮大な・・・・・・拍手・式典・歓迎
　　盛大な・・・・・・物語・実験・計画
　　絶大な・・・・・・数・データ・資金
　　膨大な・・・・・・人気・効果・権力

(5) 栄養・燃料・物資・・・・・を補償する
　　損害・被害・治療費・・・・を補足する
　　内容・説明・資料・・・・・を補給する
　　商品・職員・用紙・・・・・を補充する

(6) 改革・調査・プレー・・・・が存続する
　　治安・健康・生命・・・・・を続行する
　　香り・集中・成長・・・・・が持続する
　　制度・施設・種・・・・・・を維持する

(7) 事件・不正・熱愛・・・・・が発足する
　　心臓・喘息（ぜんそく）・咳（せき）・・・・・を発散する
　　熱・怒り・不満・・・・・・の発作が起きる
　　政権・制度・組織・・・・・が発覚する

2 意味　意味の違いに気を付けよう。

□□□の中から適当な言葉を選んで、（　　）に入れなさい。

(1) | 規格　　規範　　規律 |

① 倫理的な（　　　　　　）が失われ、若者は行動の指針を得ることができなくなっている。

② （　　　　　　）が違うので、このカードは私のパソコンでは使えない。

③ 問題のある学生が増え、教室で（　　　　　　）を維持することが難しくなった。

(2) | 漠然（ばくぜん）　　唖然（あぜん）　　呆然（ぼうぜん） |

① 汚職で捕まった議員に退職金が支払われると聞いて、（　　　　　　）としてしまった。

② 初めて会ったときに、（　　　　　　）とこの人と結婚するのかなあと思いました。

③ 優勝候補と言われながら敗れたその選手は（　　　　　　）とその場に立ちすくんでいた。

(3)　| 賛同　　同調　　同感 |

① 私も山田さんの考えにまったく（　　　　　　　）です。

② 寄付を呼びかけても（　　　　　　　）してくれる企業が少なく、資金集めに苦労している。

③ 部下の言うことに部長までもが（　　　　　　　）して、仕事中に「野球の中継を見よう」と言う。

(4)　| 釈明　　弁解　　弁護 |

① 自分を（　　　　　　　）するわけではありせんが、今回の失敗は私のせいではないと思います。

② 失言をした政治家が（　　　　　　　）を行ったが、謝罪するつもりはないようだった。

③ 自分のミスを認めず、（　　　　　　　）ばかりするなんて、最低だ。

(5)　| 共感　　共鳴　　同情 |

① 私と同じような境遇で育った彼の話を（　　　　　　　）を持って聞いた。

② 犯人の育った環境のことを聞くと、（　　　　　　　）したくなりますが、犯罪は犯罪です。

③ 菜食主義の本を読み、その考え方に（　　　　　　　）した彼女は、自身も菜食主義者となった。

3 用法　使い方に気を付けよう。

下線の言葉の使い方が正しい文には○、間違っている文には×を（　）に入れなさい。

また、間違っている場合には、下線の言葉に代わる正しい言葉を書きなさい。

(例)　健康を継続するためにジムに通っている。　　　　　　　　　　　（ × ）＿＿維持＿＿

(1)　入会の手続きをされる前に規律をよくお読みください。　　　　　（　　）＿＿＿＿＿＿

(2)　子供に対して毅然(きぜん)とした態度を取ることが必要です。　　　　　（　　）＿＿＿＿＿＿

(3)　機械の内部の構造を簡便化して製造コストを下げた。　　　　　　（　　）＿＿＿＿＿＿

(4)　中国の歴史を盛大なスケールで描く映画が作られた。　　　　　　（　　）＿＿＿＿＿＿

(5)　犯人は裁判で自分の罪をどう弁明するのだろうか。　　　　　　　（　　）＿＿＿＿＿＿

4 用法　使い方に気を付けよう。

次の中で言葉の使い方が誤っているものを選びなさい。ただし答えは一つとは限りません。

(例)　a　持続的　　b　存続的　　c　継続的　　d　続行的　　　（答え　b　　d　）

(1)　a　発足する　　b　発作する　　c　発覚する　　d　発散する

(2)　a　過多化　　b　過失化　　c　過密化　　d　過疎化

(3)　a　賛同する　　b　共感する　　c　同感する　　d　共鳴する

(4)　a　補充的　　b　補給的　　c　補足的　　d　補完的

III. 実践練習 ≫

1. （　　）に入れるのに最もよいものを、1・2・3・4から一つ選びなさい。(1点×10問)

[1] この団体は身体障害者の支援を目的に三年前に（　3　）した。

　　1　発作　　　　　　2　発生　　　　　　3　発足　　　　　　4　発起

[2] カロリーの（　2　）な摂取は健康に非常に悪い影響を与えます。

　　1　過剰　　　　　　2　過多　　　　　　3　過大　　　　　　4　過密

[3] 田村教授の解説は非常に（　1　）で、難しい内容も易しく感じられた。

　　1　明解　　　　　　2　明細　　　　　　3　明白　　　　　　4　明朗

[4] 飛行機から見る富士山の姿は（　4　）で、感動してしまった。

　　1　盛大　　　　　　2　絶大　　　　　　3　雄大　　　　　　4　膨大

[5] DVDの（　2　）は有力な電気メーカー数社の協議によって定められた。

　　1　規制　　　　　　2　規格　　　　　　3　規約　　　　　　4　規範

[6] 最初に会ったときから、（　3　）的にこの人とならうまくいくと感じていた。

　　1　共感　　　　　　2　主観　　　　　　3　直感　　　　　　4　予感

[7] プリンターの用紙がなくなりそうだったので、（　3　）しておいた。

　　1　補完　　　　　　2　補足　　　　　　3　補充　　　　　　4　補償

[8] その男は禁煙と書いてある看板の下で（　1　）とたばこを吸っていた。

　　1　唖然　　　　　　2　毅然　　　　　　3　平然　　　　　　4　天然
　　　　あぜん　　　　　　きぜん

[9] 自分のしたことを（　4　）するつもりはなかったが、相手を怒らせてしまった。

　　1　弁解　　　　　　2　弁護　　　　　　3　弁償　　　　　　4　弁論

[10] 価格を（　2　）するために、その企業は相当な努力をしていた。

　　1　維持　　　　　　2　持続　　　　　　3　存続　　　　　　4　連続

2. ＿＿＿の言葉に意味が最も近いものを、1・2・3・4から一つ選びなさい。(1点×5問)

[1] こちらに原因があって損害を与えた分は、きちんと補償をする必要がある。

　　1　つきあう　　　　2　つとめる　　　　3　つぐなう　　　　4　つらなる

[2] こちらの過失で書類をなくしてしまったのだから、誰も責めることはできない。

　　1　パス　　　　　　2　ミス　　　　　　3　ロケ　　　　　　4　ロス

[3] 妻子ある男性との交際が発覚して、そのタレントは謝罪会見を行った。

　　1　はっきりして　　2　ばれて　　　　　3　はじけて　　　　4　ばらけて

[4] そのソフトによって今までよりも簡便に製図が行えるようになった。

　　1　おやすく　　　　2　きやすく　　　　3　たやすく　　　　4　みやすく

[5] 学生が理解していなかったようなので、少し説明を補足した。

　　1　おさえた　　　　2　おぎなった　　　3　かたよった　　　4　つりあった

/25点

3. 次の言葉の使い方として最もよいものを、1・2・3・4から一つ選びなさい。(2点×5問)

1 過大

1 ビタミンを過大に取ることは、むしろ体に害を与える。

2 ダイエットについては情報過大といえるほど、多くの本が出版されている。

3 その小説家は実力もないのに、過大に評価されている。 → exclusive

4 一週間に三試合もするという過大な日程で、試合をしなければならなかった。

2 簡潔

1 あのおばあさんは、いつも簡潔な着物を着ていて、趣味がいい。✓

2 手続きが簡潔化されて、ビザがすぐ発給されるようになった。✗

3 これまでより簡潔な方法で手術が行えるようになった。

4 企画書は簡潔にわかりやすく書かないと、上司に読んでもらえない。 clear

3 明白

1 彼の考えは明白で、皆が彼の考えに共感を示した。

2 彼の話し方は明白で、遠くからでもよく聞こえた。

3 頭脳明白な彼女は将来は学者になるだろうと言われていた。

4 裁判で人を有罪にするには、明白な証拠が必要です。 → clear

4 存続

1 現在、この事業は、見直しが行われ、存続の危機にさらされている。

2 資金がなくても、工夫次第で、活動を存続することはできるはずだ。

3 途上国における存続可能な発展についてのシンポジウムが行われた。

4 体力を存続するために、水泳とマラソンをやっている。

5 規定

1 日本とオーストラリアではコンセントの規定が違う。

2 リーダーの行動はほかのメンバーが行動する際の規定になる。

3 運動会で子供たちは規定正しく行進を続けていた。

4 国際法の規定によって化学兵器の使用は固く禁止されている。

I. 言葉と例文 ≫

1 ウォーミングアップ

何か間違っているようなのですが。……

A：昨日の結婚式はとても<u>おろそか</u>な感じがしてよかったですよ。

B：大切な結婚式を<u>おろそか</u>に？　どうしてそんなことに？

2 言葉

1. 形容詞		
① **はなはだしい**	[程度が普通ではない]	政府の発表は国民をはなはだしく失望させた。
② **はなばなしい**	[華やかで見事]	彼女はその曲ではなばなしくデビューした。
③ **はかばかしい**	[順調に進む(否定表現を伴う)]	会社の経営ははかばかしくないらしい。
④ **あさましい**	[心がいやしい／見苦しい]	人の弱みに付け込むとは、あさましいことだ。
⑤ **いさましい**	[勇気がある様子]	彼が剣道着を着た姿はいさましかった。
⑥ **いたましい**	[悲惨でかわいそう]	子供が犠牲になるいたましい事故があった。
⑦ **いまわしい**	[不愉快で避けたい]	児童虐待のいまわしい記憶は消えない。
⑧ **なだらか(な)**	[傾斜が緩い]	山の中腹になだらかな斜面が続いていた。
⑨ **なめらか(な)**	[引っかかるところがない]	なめらかな皮を使って、財布は作られていた。
⑩ **なごやか(な)**	[気分、雰囲気が和らいでいる]	お見合いはなごやかに進んだ。
⑪ **あざとい**	[やり方がずるい]	幼児からも大人と同じ入場料を取るなんて、あざとい。
⑫ **めざとい**	[見つけるのが早い]	彼はめざとくたばこの自販機を見つけた。
⑬ **あくどい**	[やり方が非常に悪質]	人をだますようなあくどいやり方は許せない。
⑭ **おろそか(な)**	[いい加減にする]	大学生たるもの、勉学をおろそかにするな。
⑮ **おごそか(な)**	[礼儀正しく威厳がある]	結婚式はおごそかな雰囲気の中で行われた。

2. 動詞		
① **ねたむ**	[うらやましく思って憎む]	頭のいい彼をねたんでもしょうがない。
② **ねだる**	[相手に甘えて要求する]	子供におもちゃをねだられた。
③ **ねばる**	[粘着性がある／長時間頑張る]	最後までねばって、巨人が試合に勝った。
④ **ばてる**	[動けないほど疲れる]	友人の引っ越しを手伝って、ばててしまった。
⑤ **はてる**	[終わる／死ぬ]	小麦畑がはてることなく続いていた。
⑥ **はける**	[流れ出る／全部売れる]	百個商品を仕入れたのに、一日ではけた。

⑦	うるむ	[涙で目が濡れる]	父親は娘の結婚式で目をうるませていた。
⑧	くるむ	[巻くようにして包む]	皿が割れないように新聞紙でくるんだ。
⑨	ひるむ	[恐れて気持ちが弱くなる]	相手の激しい攻撃に一瞬ひるんだ。
⑩	ほつれる	[縫い目などから糸が出る]	糸がほつれて、ボタンが取れた。
⑪	ほどける	[結んだものが解ける]	靴のひもがほどけてますよ。
⑫	ほぐれる	[固まったものが柔らかくなる]	準備運動をしたので、体がほぐれてきた。
⑬	ほころびる	[(固く閉じたものが)開く]	肩のところがほころびて、下着が見えている。
⑭	とぎれる	[途中で切れる]	今日、負けたので横綱の連勝記録がとぎれた。
⑮	ちぎれる	[細かく切れる／無理に切られる]	今日は寒くて、耳がちぎれそうですね。
⑯	ちぢれる	[細かく波打って縮まる]	彼女の髪の毛は、赤くて、ちぢれていた。

3. 副詞

①	何かと	[いろいろ／機会がある度に]	ナイフが一つあると、何かと便利だ。
②	何やら	[何かわからないが]	何やらキッチンからいい匂いがしてきた。
③	何分	[何といっても／どうか]	何分学生なもので、予算がないんです。
④	いわば	[何かに例えて言うと]	彼女はいわば「クラスのアイドル」でした。
⑤	いわゆる	[一般で言われている]	彼はいわゆる「オレオレ詐欺」の犯人だった。
⑥	いわく	[～の言うことには]	部長いわく、「努力に勝るものはない」。

4. 名詞

①	心得	[知っておくべき知識]	今、話した接客の心得を忘れないように。
②	心掛け	[普段の心の持ち方]	日ごろの心掛け次第で、成績も変わると思う。
③	心構え	[心の準備]	地震に対する心構えはできていますか。
④	心配り	[注意を払うこと]	その店員の温かい心配りが忘れられない。
⑤	心残り	[未練があること]	京都に行けなかったのが、心残りだ。
⑥	手際	[ものごとの処理の仕方]	料理を作り慣れているから、手際がよかった。
⑦	手分け(する)	[一つの作業を分担すること]	三人で手分けして、部屋の中を探した。
⑧	手入れ(する)	[状態を保つためにすること]	週末に庭の手入れをするのが趣味です。
⑨	手回し	[前に準備しておくこと]	次の店も予約しておくとは、手回しがいいね。
⑩	手加減(する)	[相手に応じて調節すること]	子供相手だったので少し手加減をした。

II．基本練習　≫

1 連語　一緒に使う言葉を覚えよう。

例のように一緒に使う言葉を線で結びなさい。

(1)　はなばなしい・　　　　　・返事・成果
　　　はかばかしい・　　　勘違い・迷惑
　　　はなはだしい・　　　　・活躍・経歴

(2)　いたましい・　　　　　・事件・事故
　　　あさましい・　　　　　・発言・音楽
　　　いさましい・　　　　　・姿・根性

(3)　なごやかな・　　　　　・動き・肌
　　　なめらかな・　　　　　・坂道・カーブ
　　　なだらかな・　　　　　・雰囲気・表情

(4)　あくどい・　　　　　・演出・文章
　　　あざとい・　　　　　・子供・見つける
　　　めざとい・　　　　　・手口・業者

(5)　集中・会話・　　　　　・がちぎれる
　　　雲・鎖・手・　　　　　・がとぎれる
　　　髪・麺(めん)・葉・　　　・がちぢれる

(6)　結び目・ロープ・　　　　・がほつれる
　　　緊張・筋肉　　・　　　　・がほぐれる
　　　糸・裾(すそ)・髪　・　　・がほどける

2 意味　意味の違いに気を付けよう。

　　の中から適当な言葉を選んで、（　　）に入れなさい。

(1)　| 心掛け　　心配り　　心残り |

　　① そのホテルはきめ細やかな（　　　　　　）とサービスで宿泊客から高い評価を得ていた。
　　② 日本にいる間に北海道へ行けなかったのが、唯一の（　　　　　）だ。
　　③ 普段の（　　　　　　）が悪いのか、旅行中は大変なことばかり起こった。

(2)　| 手際　　手入れ　　手分け |

　　① 肌の（　　　　　　）を毎晩きちんとしておかないと、後で大変なことになる。
　　② ウエーターは（　　　　　）よくテーブルの上にコップを並べていった。
　　③ 職員全員で（　　　　　）して抗議の電話に応対した。

(3)　| いわば　　いわゆる　　いわく |

　　① その医者（　　　　　　）、「薬は症状を抑えるだけで、病気を治すものではありません。」
　　② 沖縄(おきなわ)のサンゴ礁は貴重なもので、（　　　　　）人類の宝と言ってもいいでしょう。
　　③ 彼女はそのころ定職に就いておらず、（　　　　　）フリーターをしていた。

(4)　| 何かと　　何分　　何やら |

　　① 昨日、息子が（　　　　　）図書館から難しい本を借りてきた。
　　② 課長は若い社員の仕事ぶりをチェックして、（　　　　　）細かく注意をする。
　　③ 今後とも（　　　　）お付き合いのほどよろしくお願いいたします。

(5) | うるんで　　くるんで　　ひるんで |

① 引っ越し屋さんは家具を毛布で（　　　　　）運んでいた。

② 子供が運動会で一生懸命走っているのを見て、目が（　　　　　）しまった。

③ 普通ならば、相手の強さに（　　　　　）しまうところだが、彼はそうではなかった。

(6) | はてる　　ばてる　　はける |

① こんな暑い日に飲み物も持たずに出かけたら、誰_{だれ}だって（　　　　　）よ。

② 今ある在庫が（　　　　　）までは、新しく仕入れるのはやめておこう。

③ 国民はいつ（　　　　　）ともわからない政治家たちの権力争いに嫌気がさしていた。

(7) | ねたむ　　ねだる　　ねばる |

① アイドルグループのサインを（　　　　　）人込みの中に妹の姿もあった。

② 彼のプログラマーとしての才能を（　　　　　）者も少なくなかった。

③ 毎日コーヒー一杯で閉店まで（　　　　　）客がいて、店側は迷惑している。

(8) | おごそか　　おろか　　おろそか |

① タイでは古い伝統ある寺院を訪れ、私も少しは（　　　　　）な気持ちになった。

② 自分の失敗を人のせいにするほど、私は（　　　　　）ではありません。

③ 趣味に時間を取られて、仕事が（　　　　　）になっては何にもならない。

3 用法　使い方に気を付けよう。

下線の言葉の使い方が正しい文には○、間違っている文には×を（　）に入れなさい。

また、間違っている場合には、下線の言葉に代わる正しい言葉を書きなさい。

(例)　彼にはまだ留学をするという<u>心得</u>ができていなかった。　　　（　×　）　　心構え

(1)　ゲームをしたら、学生たちの気持ちも<u>ほどけて</u>きた。　　　　（　　）＿＿＿＿＿

(2)　いかにも人を泣かせようという<u>あくどい</u>内容の脚本だ。　　　（　　）＿＿＿＿＿

(3)　彼の英語は<u>なめらか</u>で、とても聞き取りやすかった。　　　　（　　）＿＿＿＿＿

(4)　転んで、ひどく足から血が出ていて、<u>いたましかった</u>。　　　（　　）＿＿＿＿＿

(5)　リードしたら、緊張が<u>とぎれて</u>、結局試合に負けた。　　　　（　　）＿＿＿＿＿

(6)　私は初心者なんですから、<u>手分け</u>してくださいよ。　　　　　（　　）＿＿＿＿＿

(7)　彼はテロ組織から命を<u>ねだられて</u>いる。　　　　　　　　　　（　　）＿＿＿＿＿

III. 実践練習 ≫

1. （　）に入れるのに最もよいものを、1・2・3・4から一つ選びなさい。(1点×10問)

1 能力はあるが、経験は（　4　）から、まだ仕事は任せられない。
　　1 あさましい　　　2 いさましい　　　3 とぼしい　　　4 いやしい

2 彼のやり方はいつも（　1　）。
　　1 あくどい　　　2 けむたい　　　3 ひさしい　　　4 はかない

3 後で詳しい話を聞きますから、今は（　1　）な流れを話してください。
　　1 おおまか　　　2 おろそか　　　3 ぞんざい　　　4 おごそか

4 私の秘書は仕事の（　2　）がよく、日々感心させられる。
　　1 手柄　　　2 手際　　　3 手心　　　4 手腕

5 親が自分の子供を殺すという（　4　）事件が起こった。
　　1 あいらしい　　　2 あさましい　　　3 いさましい　　　4 いまわしい

6 こんな変な問題、（　1　）やってられない。
　　1 はかばかしくて　　2 ばかばかしくて　　3 はなはだしくて　　4 はなばなしくて

7 そんなに早くあきらめないで、もう少し（　4　）、契約が取れたのに。
　　1 こじれれば　　　2 ねじれば　　　3 ねばれば　　　4 まぎれれば

8 こんなかわいい赤ちゃんを見たら誰だって顔が（　2　）だろう。
　　1 ほぐれる　　　2 ほつれる　　　3 ほどける　　　4 ほころびる

9 眼鏡をかけないと、（　4　）、何も見えない。
　　1 とぼけて　　　2 ほどけて　　　3 ぼやいて　　　4 ぼやけて

10 会議が終わったばかりなのに、もうタクシーを呼んでくるとは、（　3　）が早い。
　　1 手入れ　　　2 手加減　　　3 手回し　　　4 手分け

2. ＿＿の言葉に意味が最も近いものを、1・2・3・4から一つ選びなさい。(1点×5問)

1 肌をなめらかにするというクリームを買ってきて付けてみた。
　　1 きらきら　　　2 かさかさ　　　3 すべすべ　　　4 ふさふさ

2 手入れさえしっかりしていれば、古い機械だって、まだまだ使えるんです。
　　1 アナウンス　　　2 ディフェンス　　　3 メンテナンス　　　4 ファイナンス

3 自分で作ったクッキーをきれいな紙でくるんで、プレゼントにした。
　　1 たたんで　　　2 たるんで　　　3 つかんで　　　4 つつんで

4 昼ご飯抜きだったので、午後はばててしまい、仕事にならなかった。
　　1 かぶれて　　　2 くびれて　　　3 しびれて　　　4 くたびれて

5 他人に対して常に心配りを忘れないことは、人間関係を築く上で大切なことです。
　　1 気配　　　2 交配　　　3 配合　　　4 配慮

3. 次の言葉の使い方として最もよいものを、1・2・3・4から一つ選びなさい。(2点×5問)

1 ひるむ
- 1 銅像は大きなシートにひるまれていた。
- 2 相手が大きいからといって、ひるむことはない。実力はこちらが上だ。
- 3 何度も見たドラマなのに、また感動して、ちょっと目がひるんでしまった。
- 4 中年になってきたせいか、最近、おなかがひるんできた。

2 何かと
- 1 友達にも手伝ってもらって、何かと卒論を完成させることができた。
- 2 何かとお世話になると思いますので、どうぞよろしくお願いいたします。
- 3 ご用がございましたら、何かとお申し付けください。
- 4 事故で止まっていた電車が何かと動き出したようだ。

3 いわゆる
- 1 彼は学校で頻繁に問題を起こす、いわゆる不良だった。
- 2 いわゆることに彼は関心を持っている。
- 3 彼女の才能はいわゆる一億人に一人の才能だ。
- 4 先生のいわゆる通りに、勉強したら成績が上がった。

4 なごやか
- 1 電車の外にはなごやかな田園風景が続いていた。
- 2 両親に愛されて、彼はなごやかに育った。
- 3 テストが終わった人は、なごやかに外に出てください。
- 4 契約更新の話し合いはなごやかに行われた。

5 はなばなしい
- 1 計画ははなばなしく進んでいないようだった。
- 2 日本の遺伝子の研究は、これまではなばなしい成果を上げてきた。
- 3 あなたの言っていることは、はなばなしい誤解です。
- 4 彼女のあまりにはなばなしい服を見て、みんなぎょっとした。

4章 副詞 1課 程度、時間、頻度の副詞

Ⅰ. 言葉と例文 ≫

1 ウォーミングアップ

カレーライスを作ってもらって。……

A：このカレー、（ やや いやに むちゃくちゃ ）おいしいですね。

B：ありがとう。作ったかいがあるよ。

2 言葉

1. 程度（強調）

① はなはだ	[非常に（主によくないことに使う）] 彼が来ないとは、はなはだ残念だ。
② すこぶる	[非常に（主にいいことに使う）] よく寝たせいか、すこぶる体調がいい。
③ 至って	[普通の水準を超えて] この機械の操作は至って簡単です。
④ ごく	[非常に（小ささや少なさを強調）] その会議の欠席者は、ごくわずかだった。
⑤ やけに	[普通ではなく] やけにご機嫌だね。何かあったの？
⑥ いやに	[変なくらい、とても] いつも厳しい妻が、今日はいやに優しい。
⑦ むやみに	[考えずに／理由なく、とても] この木にはむやみに水をあげないほうがいい。
⑧ やたら（に／と）	[制限なく] 今日は、やたらとのどが渇く。
⑨ うんと	[とてもたくさん] いたずらをして、先生にうんとしかられた。
⑩ むちゃくちゃ	[異常なぐらい] 山田の声は、むちゃくちゃ大きいんだよ。

2. 程度（比較）

① ことに	[特に] 今年の夏はことに暑い。
② ことのほか	[予想・いつもと違って] 今日は、仕事がことのほか早く終わった。
③ ひときわ	[ほかよりも目立って] その星は空でひときわ明るく輝いていた。
④ とりわけ	[同類の中でも特に] 彼は、理系で、とりわけ数学がよくできる。
⑤ とびきり	[ほかと比べられないほど、最高に] とびきり上等の赤ワインを飲んだ。
⑥ 格別（に）	[ほかの場合と非常に違って] 暑い日に飲むビールは、格別うまい。
⑦ 断然	[ほかと比べて、絶対に] 肉を買うなら、あの店のほうが断然安いよ。

3. 程度（少なさ）

① やや	[少し] 経済対策により、景気はやや上向いた。
② 幾分	[はっきりしないが、少し] 薬を飲んだので、幾分楽になった。
③ いささか	[少し（主によくないことに使う）] 会議が長引いて、いささか疲れた。

4. 時間（瞬時）

① 即座に　　[その場ですぐに] 彼は難しい問題も即座に解いてしまった。

② 即刻　　　[少しの遅れも許さず] そんなことをするやつは、即刻首にしろ。

③ すかさず　[機会を逃さず、すぐに] 席が空いていたので、すかさず座った。

④ とっさに　[反射的にすぐに] 石が落ちてきたので、とっさに頭をかばった。

⑤ 急きょ　　[予定を変えて急に] けがで急きょ帰国することになった。

5. 時間（過去）

① 先ごろ　　[この間] 先ごろ、中国の首相が日本を訪問した。

② 先だって　[先日] 先だっては、どうもお世話になりました。

③ 前もって　[準備のために、前に] 前もって、レストランの予約をしておいた。

④ かねて　　[以前に] かねてお申し込みの商品が入荷しました。

⑤ とっくに　[はるか前に] その店はとっくに閉まっていた。

⑥ ひところ　[過去のある時期] その歌手はひところとても人気があった。

6. 時間（未来）

① 追って　　[すぐ後で] 試験日程については追ってお知らせします。

② ぼつぼつ　[そろそろ] ぼつぼつ飲み始めましょうか。

7. 時間（その他）

① じき（に）　[間もなく] ただの風邪ですから、じきに治りますよ。

② 目下　　　　[現在] 田中さんは目下試験勉強に取り組んでいる。

③ かねがね　　[以前からずっと] かねがねお会いしたいと思っておりました。

④ しばし　　　[少しの間] その話を聞いて、彼はしばし言葉を失った。

⑤ 長らく　　　[長い間] 大変長らくお待たせいたしました。

8. 頻度

① 年中・年がら年中　[いつでも] あの兄弟は、年中けんかしている。

② 始終　　　　　　　[切れ目なく、ずっと] 彼女は始終人のうわさ話ばかりしている。

③ 四六時中　　　　　[多すぎるほど、ずっと] 社長は四六時中怒ってばかりいる。

④ 再三・再三再四　　[何度も] 再三注意したのに、また同じ失敗をした。

⑤ ちょくちょく・ちょいちょい　[たびたび] 彼はちょくちょくその店に来ていた。

II. 基本練習 ≫

1 用法　使うときの制限に気を付けよう。

下線部に注意して、◻️の中から最も適当な言葉を選んで、（　　）に入れなさい。

(1)　| ごく　　すこぶる　　はなはだ |

① 首相は、（　　　　　）平凡な家庭の出身だった。

② 迷惑メールばかりで、（　　　　　）困っている。

③ あの先生は、学生の評判が（　　　　　）いい。

(2)　| とびきり　　とりわけ　　ひときわ |

① クラスの中で彼女の声は（　　　　　）大きく、目立っていた。

② 彼は和食が好きらしいが、その中でも（　　　　　）そばをよく食べると言っていた。

③ 彼女は普通のものでは我慢できず、何でも（　　　　　）高級なものばかり買いたがった。

(3)　| かねがね　　とっくに　　ぼつぼつ |

① 私がやっと作文を書き終わったときには、彼は（　　　　　）書き終わっていた。

② もうすぐ十二時ですから、（　　　　　）お客さんが来ますよ。

③ 私は（　　　　　）職場の上司に不満を抱いていた。

(4)　| 長らく　　年中　　前もって |

① 大変（　　　　　）お世話になりましたこの会社とも、明日でお別れです。

② 面接を受ける前に、（　　　　　）その会社についてよく調べておいた。

③ その店は（　　　　　）たくさんの観光客でにぎわっている。

2 意味　意味の違いに気を付けよう。

◻️の中から適当な言葉を選んで、（　　）に入れなさい。

(1)　| いやに　　うんと　　やたらに |

① お金があるからと言って、（　　　　　）お金を使っていては、いつかなくなってしまう。

② いつもけちな彼が、今日は（　　　　　）気前がいい。何か下心があるのだろうか。

③ 彼は要領がいいから、いい就職先も見つかって、（　　　　　）お金を稼いでいるらしいよ。

(2)　| いささか　　至って　　やや |

① 最近、食べ物の値段が（　　　　　）下がってきたので、ほっとしている。

② 先生が奥様とご一緒に、突然、家に来られたので、（　　　　　）慌ててしまった。

③ 太ってはいるが、体は（　　　　　）健康だ。

(3) | すかさず　　とっさに　　即刻 |

① 地震が起こったときに、（　　　　　　）は何もできず、ただその場に立っていた。

② 私のアパートは、家賃を滞納すると、（　　　　　　）退去させられてしまう。

③ 彼は、町で有名な歌手を見かけて、（　　　　　）サインを頼んでいた。

(4) | じきに　　急きょ　　即座に |

① 急にそんな質問をされても、（　　　　　）答えるのは難しいよ。

② 講演を頼んでいた方が病気で、（　　　　　　）代わりの講演者を探すことになった。

③ 田中さんは（　　　　　）戻ってきますから、もう少し待っててください。

(5) | ちょいちょい　　再三　　四六時中 |

① 山口さんは、（　　　　　）眠そうな顔をしている。

② （　　　　　　）お願いしているにもかかわらず、まだ、ＯＫがもらえない。

③ 親友の彼とは、今でも（　　　　　）渋谷に飲みに行く。

3 用法　　使い方に気を付けよう。

下線の言葉の使い方が正しい文には○、間違っている文には×を（　）に入れなさい。

また、間違っている場合には、下線の言葉に代わる正しい言葉を書きなさい。

(例) テストの準備を十分していたので、<u>とっさに</u>答えがわかった。　　（ × ）<u>すぐに・即座に</u>

(1) <u>先ごろ</u>、凶悪な少年犯罪が増えている。　　　　　　　　（　　）＿＿＿＿＿＿＿

(2) 今年の冬は、<u>ことのほか</u>寒い。　　　　　　　　　　　　（　　）＿＿＿＿＿＿＿

(3) 山田の部屋は<u>むちゃくちゃ</u>汚いんだ。　　　　　　　　　（　　）＿＿＿＿＿＿＿

(4) <u>ごく</u>たくさんの人たちが私の考えに賛同してくれました。（　　）＿＿＿＿＿＿＿

(5) 会議中、彼は<u>始終</u>意見を変えなかった。　　　　　　　　（　　）＿＿＿＿＿＿＿

(6) 子供は<u>じきに</u>おもちゃに飽きてしまった。　　　　　　　（　　）＿＿＿＿＿＿＿

4 用法　　間違いに気を付けよう。

下線の部分を変えて、正しい文にしなさい。

(例) 彼はすこぶる<u>不真面目</u>な人間だ。　　　　　　　→＿＿＿真面目＿＿＿

(1) <u>かねてより</u>彼の書いた本を読みたいと思った。　　→＿＿＿＿＿＿＿＿

(2) 彼の成績は、とびきり<u>普通</u>だった。　　　　　　　→＿＿＿＿＿＿＿＿

(3) 去年に比べ、早期退職を希望する社員がやや<u>急増</u>した。　→＿＿＿＿＿＿＿＿

III. 実践練習 ≫

1. （　　）に入れるのに最もよいものを、1・2・3・4から一つ選びなさい。（1点×10問）

1 このところ、忙しくて、（　　）ものを食べていない。
   1 せめて   2 まして   3 やけに   4 ろくに

2 今日は、（　　）電話がかかってきて、仕事にならない。
   1 おおよそ   2 とっくに   3 なんとか   4 やたらに

3 都会の夏は（　　）暑いので、エアコンなしには、生きていけない。
   1 格別   2 強引   3 巨大   4 過剰

4 うちから駅まで、歩いて（　　）数分だ。
   1 やや   2 ほんの   3 幾分   4 何分

5 「あれ、山本さんは？」「あっ、山本さんなら、（　　）帰りましたよ。」
   1 いまに   2 さらに   3 とっさに   4 とっくに

6 人は（　　）間違いを犯すが、これは仕方がないことだ。
   1 しばし   2 しばしば   3 そろそろ   4 ぽつぽつ

7 そんな昔のことを聞かれても、（　　）は思い出せない。
   1 とかく   2 とっさに   3 当面   4 急きょ

8 （　　）雨はやむと思いますよ。少しここで休みませんか。
   1 おのずから   2 じきに   3 ただちに   4 ひとりでに

9 世間の（　　）の関心は消費税の増税問題にある。
   1 最中   2 今更   3 瞬時   4 目下

10 彼は、教育者としての（　　）の経験に基づいて、本を書いた。
   1 かねて   2 先だって   3 長年   4 長らく

2. ＿＿＿の言葉に意味が最も近いものを、1・2・3・4から一つ選びなさい。（1点×5問）

1 彼女は、しばし手を休めて、窓の外を見ていた。
   1 しばしば   2 しばらく   3 じっくり   4 たまに

2 あの学生には、再三警告をしているんですが、言うことを聞かないんです。
   1 いつも   2 いつか   3 何度か   4 何度も

3 建物に入るのに、いちいち学生証を見せなければならないので、はなはだ面倒だ。
   1 かなり   2 非常に   3 疑いなく   4 少しだけ

4 川口先生とは、先だっての会議で初めてお会いしました。
   1 近日   2 先日   3 近頃_{ちかごろ}   4 先頃_{さきごろ}

5 父はひところ毎週のように釣りに出かけていた。
   1 この間   2 この頃_{ごろ}   3 当時   4 以前

REVIEW

／25点

3. 次の言葉の使い方として最もよいものを、1・2・3・4から一つ選びなさい。(2点×5問)

1 むやみに

1 ここまで努力してあきらめてしまうのは、むやみにもったいないと思う。

2 人間というものは、むやみに自分のことが一番大切なようだ。

3 熱があるからといって、むやみに薬を飲んでも、治らないよ。

4 子供が熱を出したので、むやみにお願いして、お医者さんに来てもらった。

2 断然

1 あのおばあさんは、断然お金持ちらしい。

2 今度、発売されたゲームのほうが断然面白い。✕

3 春になるにつれて、断然寒さが和らいできた。✕

4 足の速い彼は断然一位でゴールした。

3 ことに

1 ちょっと高すぎますよ。ことに安くしてもらえませんか。

2 彼はどんな質問をされてもことに答えてしまう。

3 駅まで歩くと、ことに三十分はかかりますよ。

4 セールの時期に入って、今週はことに忙しかったようだ。

4 幾分

1 彼は、三か月前に会ったときより、幾分太ったようだった。

2 この曲は幾分大人気になるかもしれませんよ。

3 イギリスに留学していたので、彼女は幾分英語がペラペラです。

4 そんな口のきき方をするなんて、幾分失礼なやつだ。

5 追って

1 山口さんが読み終わったら、追ってこの本を借りてもいいですか。✕

2 海外の大学に入学することになったので、追って日本から離れます。✕

3 前回お手紙を書いてから、追ってご無沙汰をしておりました。

4 試験の合格者には、追って合格通知を郵送します。

Ⅰ. 言葉と例文 ≫

1 ウォーミングアップ

何かおかしい？……

A：明日は試験ですね。

B：ぎりぎりでもいいんです。かろうじて合格したいです。

A：？？？

2 言葉

1. 推量　〜かもしれない／だろう／思った
① **ことによると〜かもしれない**　［可能性は低いが、何かあって］ 　彼は病気ではないと言っていたが、ことによると何か病気なのかもしれない。
② **さぞ・さぞかし〜だろう**　［私にも想像できるが、非常に］ 　あんなにかわいがっていた子供を失って、さぞ悲しいことだろう。
③ **てっきり〜思った／思っていた**　［誤りだったのに、何の疑いもなく］ 　髪が長いので、てっきり女性だと思っていたら、そうではなかった。
2. 様子　〜らしい／そうだ／ようだ
① **いかにも〜らしい／そうだ**　［どの点から見てもそう思えるが］ 　校長先生は、教師を三十年もしているとあって、いかにも先生らしい話し方をする。
② **一見〜そうだ／に見える**　［ちょっと見たところでは］ 　一見おいしそうだったが、食べてみたらあまりおいしくなかった。
③ **さも〜そうに／(かの)ように〜**　［相手から本当にそのような感じを受けるが］ 　ほかの人にほとんどやってもらったのに、さも自分がしたかのような顔をしている。
④ **どうやら〜らしい／ようだ**　［状況から判断すると(≒どうも)］ 　電車が急に止まった。どうやら何かあったようだ。
3. 結果・状態　〜た／ている
① **かろうじて〜(動詞)た／ている**　［困難だったが、最低のところで］ 　合格点ぎりぎりで、かろうじて第一志望の大学に合格した。
② **危うく〜(動詞)ところだった／そうになる／た**　［もう少しで／危ないところで］ 　二階の窓から花瓶が落ちてきて、危うく大けがをするところだった。

③ （幸い／不幸）にも／（幸いな／不幸な）ことに〜た／ている　［〜たことは、（幸い／不幸）だ］

　　田中さんは不幸にも一年間に二度も交通事故に遭ってしまった。

④ 案の定〜（動詞）た／ている　［悪い状態になると予想した通り］

　　こんな計画は成功しないと思っていたが、案の定うまくいかなかった。　← やっぱりできない じゃないの？

4. 意思　〜（動詞）辞書形／たい／（よ）う／てほしい

① いっそ〜（動詞）よう／たい　［普通しないことだが、思い切って］

　　こんな大変な仕事は、いっそ辞めてしまおうかと毎日考えている。

② あえて〜（動詞）辞書形／ない／た／（よ）う　［しなくてもいいことを、わざわざ］

　　あんなまずい店にあえて行こうなんて、変わってるね。

③ あらかじめ〜ておく／てある／てください　［何かが起こる前に］

　　あらかじめ用意しておいたメモを見ながら、スピーチするのもいいでしょう。

④ 何とぞ〜てください／お願いします　［実現を強く期待して、頼むのだが］

　　まだ、新人でございますので、何とぞご指導の程、よろしくお願いいたします。

5. 仮定　〜ば／たら／なら／ても

① 仮に〜としたら／ても〜／とする　［実際にはそうではないが］　〜もし？

　　仮にあなたが私の立場だったら、どうしますか。

② 強いて〜ば／なら〜　［状況に反して無理に］

　　とてもおいしいんですが、強いて言えば、味が濃すぎるような感じがします。

6. 否定　〜ない／ないだろう

① ろくに〜ない　［十分に、満足できるほど］

　　試験前日だというのに、風邪を引いてしまって、昨日はろくに勉強ができなかった。

② 一向に〜ない　［予想、期待と違って］

　　梅雨になっても、今年は一向に雨が降らない。

③ 到底〜（でき）ない　［どうやっても］

　　仕事が多すぎて、あと一時間では到底終わらない。

④ 一概に〜とは言えない　［個々の違いを考慮しないで］

　　条件によって結果は変わるため、一概にその実験結果が正しいとは言えない。

⑤ よもや〜ないだろう／まい　［可能性はないと思うが（≒まさか）］

　　よもや彼がその大学に落ちることはないだろう。

Ⅱ. 基本練習 ≫

1 用法　後ろの表現に気を付けよう。

下線部に注意して、□□□の中から適当な言葉を選んで、（　　）に入れなさい。

(1) | さも　　一向に　　てっきり |

① かばんがなかったから、（　　　　　　）帰ったのかと<u>思った</u>よ。

② 彼は、（　　　　　　）私に責任があるという<u>ような</u>顔をしていた。

③ 小林さんは、あんなにたばこをやめると言っていたのに、（　　　　　　）やめようと<u>しない</u>。

(2) | 案の定　　いかにも　　どうやら |

① 彼は大抵遅刻してくるが、（　　　　　　）今日も遅刻してきた。

② 田中さんの言うことが（　　　　　　）正しい<u>ようだ</u>。

③ 丁寧にお礼の手紙を送ってくるところが、（　　　　　　）<u>彼女らしかった</u>。

(3) | いっそ　　一概に　　あらかじめ |

① 授業の前に、（　　　　　　）教科書を<u>読んでおいて</u>ください。

② 山田先生が引き受けてくださらないのなら、（　　　　　　）この企画は<u>やめてしまおう</u>。

③ 値段が高ければ、品質もいいとは、（　　　　　　）は<u>言えない</u>。

(4) | しいて　　かろうじて　　ことによると |

① 日本料理は何でも好きだが、（　　　　　　）<u>言うなら</u>、すしが一番好きだ。

② 遅刻しそうになったが、必死に走ったので、（　　　　　　）<u>間に合った</u>。

③ 川口さんは頑張っているので、（　　　　　　）志望している大学に入れる<u>かもしれない</u>。

2 意味　意味の違いに気を付けよう。

□□□の中から適当な言葉を選んで、（　　）に入れなさい。

(1) | 到底　　ろくに　　一向に |

① 今日がレポートの締め切りで、おとといから（　　　　　　）寝ていない。

② こんな不況のときに、就職するなんて、（　　　　　　）無理だ

③ 薬を飲み続けているが、（　　　　　　）風邪がよくならない。

(2) | あえて　　危うく　　幸いにも |

① だめだとはわかっていたが、（　　　　　　）もう一度彼に頼んでみた。

② 昨日の事故で、車は激しく壊れたが、（　　　　　　）けがをした人はいなかった。

③ 急に車が横から飛び出してきて、（　　　　　　）ひかれそうになった。

(3) | たしか　　よもや　　てっきり

　① 今度の会議は（　　　　　）山本さんが行くんだと思ってました。

　② あの人の名前は、（　　　　　）山口さんだったと思います。

　③ （　　　　　）川口さんが司法試験に合格するとは思わなかった。

(4) | よほど　　いかにも　　どうやら

　① 負けたのが（　　　　　）悔しかったらしく、人目も構わず、彼女は号泣していた。

　② 彼女が来ると思ったのは、（　　　　　）私の勘違いだったらしい。

　③ イラストがたくさんかいてあって、（　　　　　）彼らしい手紙だ。

3 用法　　使い方に気を付けよう。

下線の言葉の使い方が正しい文には○、間違っている文には×を（　）に入れなさい。

また、間違っている場合には、下線の言葉に代わる正しい言葉を書きなさい。

㋑　<u>一概に</u>若く見えるが、本当はかなりの年らしい。　　　　（ × ）＿＿一見＿＿

(1) 田中さんの言っていることは<u>いかにも</u>本当っぽい。　　　　（　）＿＿＿＿＿

(2) 彼は<u>いっそ</u>そんなことをどうしてしようとしたのか。　　　（　）＿＿＿＿＿

(3) 遅刻するかと思い、必死に走り、<u>案の定</u>間に合った。　　　（　）＿＿＿＿＿

(4) 五人も子供を育てるのは、<u>さも</u>大変だったことだろう。　　（　）＿＿＿＿＿

(5) <u>強いて</u>お金がなくても、働けばどうにかなるでしょう。　　（　）＿＿＿＿＿

(6) 雪で足が滑って、<u>どうやら</u>転びそうになった。　　　　　　（　）＿＿＿＿＿

(7) 失礼をいたしましたこと、<u>何とぞ</u>お許しくださいませ。　　（　）＿＿＿＿＿

4 用法　　間違いに気を付けよう。

下線の部分を変えて、正しい文にしなさい。

㋑　ことによると、次の試合は<u>勝てるはずだ</u>。　　　　　　→<u>勝てるかもしれない</u>

(1) どうやら山田さんは今日は<u>来なかった</u>。　　　　　　　→＿＿＿＿＿＿＿＿＿

(2) 昨日から、ろくに<u>パンしか食べていない</u>。　　　　　　→＿＿＿＿＿＿＿＿＿

(3) かろうじて第二志望の会社に<u>しか就職できなかった</u>。　→＿＿＿＿＿＿＿＿＿

(4) 今週は雨が多く、案の定、今日も雨が<u>降るでしょう</u>。　→＿＿＿＿＿＿＿＿＿

(5) 仮に無人島で<u>生活したら</u>、何を持っていきますか。　　→＿＿＿＿＿＿＿＿＿

III. 実践練習 ≫

1. （　　）に入れるのに最もよいものを、1・2・3・4から一つ選びなさい。（1点×10問）

1 日本での生活が苦しく、（　）国に帰ってしまおうと思ったこともありました。
　　1　いっそ　　　　2　いかにも　　　　3　一向に　　　　4　一心に

2 厳しい言い方かもしれませんが、（　）言わせていただきます。
　　1　あえて　　　　2　かつて　　　　3　まして　　　　4　努めて

3 一生懸命掃除をしても、（　）すぐ子供が汚してしまうでしょう。
　　1　どうせ　　　　2　どんなに　　　　3　どうにか　　　　4　どうやら

4 この調子だと、（　）マラソン大会で十位以内に入れるかもしれないね。
　　1　あいにく　　　　2　いかにも　　　　3　てっきり　　　　4　ことによると

5 希望部署への配置転換の件、（　）よろしくお願い申し上げます。
　　1　何だか　　　　2　何でも　　　　3　何とぞ　　　　4　何より

6 山口さんの欠点を（　）挙げれば、優しすぎるということだろうか。
　　1　たとえ　　　　2　まさに　　　　3　しいて　　　　4　ひいては

7 この政策が実現されれば、少子化問題も（　）解決されるだろう。
　　1　一概に　　　　2　一挙に　　　　3　一向に　　　　4　一般に

8 このままでは、売り上げ目標を達成することは、（　）できないだろう。
　　1　大層　　　　2　格別　　　　3　相当　　　　4　到底

9 せっかくお電話いただきましたが、（　）部長は、本日病気で休んでおりまして。
　　1　あえて　　　　2　あいにく　　　　3　あしからず　　　　4　あらかじめ

10 あなたの面倒は、もう（　）見たくありません。
　　1　一見　　　　2　一切　　　　3　一目　　　　4　一律

2. ＿＿の言葉に意味が最も近いものを、1・2・3・4から一つ選びなさい。（1点×5問）

1 彼は平仮名もろくに読めなかった。
　　1　大分　　　　2　大胆に　　　　3　満足に　　　　4　容易に

2 欠席される方は、あらかじめご連絡いただければと思います。
　　1　追って　　　　2　直ちに　　　　3　後ほど　　　　4　前もって

3 川口さんより田中さんのほうがてっきり年上だと思っていました。
　　1　かなり　　　　2　意外に　　　　3　疑いなく　　　　4　少しだけ

4 朝から雲の多い日だったが、午後になって案の定雨が降り出した。
　　1　思いのほか　　　　2　思いがけず　　　　3　思った通り　　　　4　思ったよりも

5 彼はさも当たり前のように、その難しい曲を弾いた。
　　1　いかに　　　　2　いかにも　　　　3　何とも　　　　4　何だか

／25点

3. 次の言葉の使い方として最もよいものを、1・2・3・4から一つ選びなさい。(2点×5問)

1 仮に

   1 仮に一生懸命勉強すれば、テストでよい成績が取れるかもしれない。

   2 仮に毎日頑張ったら、試合で勝つことができた。

   3 仮に私があなただったら、そんなひどいことはしなかったと思います。

   4 仮に自分がしたことを考えてみるべきだと思います。

2 どうやら

   1 彼の言うことがどうやら納得できない。

   2 来ると言ったのだから、彼はどうやら来るはずだ。

   3 信じがたいことだが、どうやら彼の言うことが正しいらしい。

   4 どうやらして、その会社と契約を結びたい。

3 一向に

   1 もうしないと言っていたのに、一向に改める気配がない。

   2 チャンスとばかりに、日本チームは一向に攻め込んだ。

   3 発表に向けて、皆、一向に練習に取り組んでいる。

   4 激しい雨の後で、雨粒が窓一向に付いていた。

4 到底

   1 日本に住み着いて、彼は到底国に帰ることがなかった。

   2 その件については、到底的に問題を洗い出す必要がある。

   3 そんなことをするのだから、到底覚悟はできていたのだと思う。

   4 今の予算では、この計画の実現は到底無理だろう。

5 一見

   1 彼の料理の腕は相当なもので、皆から一見置かれている。

   2 もう七年も会っていない国の母に一見会いたい。

   3 うちの子は一見おとなしそうに見えるが、実はまったく違う。

   4 私は妻を一見で好きになってしまったんですよ。

I. 言葉と例文 ≫

1 ウォーミングアップ

次のうち正しいのはどれ？……

a 皿の中のものを隈なく食べた。

b 友人全員に隈なく手紙を書いた。

c 部屋の中を隈なく探した。

2 言葉

---

1. 「一」がつく副詞

① 一挙に [一度に大きく変化して] 日本チームは一挙に三点を取った。

② 一斉に [多くのものが同時に] 鳥たちは一斉に湖から飛び立った。

③ 一心に [心を集中させて] 母親は息子の手術の成功を一心に祈った。

④ 一躍 [急に地位、名声を得て] その事件で彼は一躍有名人になった。

⑤ 一通り [始めから終わりまで大体] 彼女は中国語が一通り話せる。

⑥ 逐一 [一つ一つ細かく] これまでの経緯を逐一上司に報告した。

---

2. 「漢字一つ＋に」の形の副詞

① 現に [実際の証拠として] 現に私は彼を東京で見たんですよ。

② 真に [本当に] 真に国のことを考えている政治家は少ない。

③ 直に [直接] 部長と直に相談して決めたほうがいいよ。

④ 切に [心を込めて強く] ご成功を切に祈っております。

---

3. 「漢字二つ＋と」の形の副詞

① 着々と [順番通りにうまく] 国会議事堂の工事は着々と進んでいる。

② 転々と [次々に変わって] 犯人は転々と住所を変えていた。

③ 黙々と [黙ってどんどん] 彼女は黙々と後片付けをしている。

④ 悠々（と） [余裕を持って] 今から出れば、開演に悠々間に合うよ。

---

4. 意味の近い副詞

① 努めて [できる限り努力して] 最近は努めて野菜を食べるようにしている。

② 極力 [不可能でない限り] 私も極力会議に出席するようにするよ。

③ ひたすら [それだけを懸命にして] 助けを求めて、彼はひたすら叫んだ。

④ もっぱら [そればかりして] 最近はもっぱら発泡酒ばかり飲んでいる。

⑤	隈なく	[隅から隅まですべて]	家中隈なく探したが、かぎは見つからなかった。
⑥	ことごとく	[一つ一つすべて]	受験した大学にことごとく落ちてしまった。
⑦	軒並み	[すべて同じように]	悪天候で野菜が軒並み値上がりした。
⑧	根こそぎ	[残らずすべて]	津波で根こそぎ家を持っていかれた。
⑨	大方	[大部分／多分]	今日の仕事は大方片付いた。
⑩	概ね	[大体]	改築工事は概ね順調に進んでいる。
⑪	総じて	[全体の傾向として]	彼の成績はどの科目も総じてよかった。
⑫	自ずと・自ずから	[自然に]	親の気持ちが自ずとわかるときが来るよ。
⑬	ひとりでに	[何もしていないのに]	ドアの前に立つと、ひとりでにドアが開いた。
⑭	元来	[元からの性質・状態として]	国家とは元来抑圧的なものだ。
⑮	そもそも	[最初から／基本的に]	彼に頼んだのが、そもそも間違っているんだ。
⑯	心底	[心から]	彼は心底その絵を気に入っていた。
⑰	根っから	[基本的な性質として]	彼女は根っから辛いものが好きだ。
⑱	たかが	[大したことのない]	たかが中間テストぐらいで、そんなに心配するなよ。
⑲	たかだか	[多くても]	電車で行っても、たかだか一時間ぐらいだ。

5. その他

①	俄然	[急に変わって]	ほめられて、俄然やる気が出てきた。
②	断固	[強い意志を持って]	ダム建設には断固反対だ。
③	不意に	[思わぬことが急に起こって]	お天気だったのに、不意に雨が降り出した。
④	人知れず	[人が知らないところで]	彼は人知れず努力を重ねていた。
⑤	とかく	[よくない傾向だが]	最近、とかく子供を甘やかす親が多い。
⑥	とやかく	[文句をいろいろと]	他人にとやかく言われる筋合いはない。
⑦	よくも	[怒り、あきれるが]	私によくもそんなことが言えたものだ。
⑧	いたずらに	[無駄に]	いたずらに休暇を過ごしてしまった。
⑨	おもむろに	[落ち着いてゆっくりと]	彼はおもむろに話を始めた。
⑩	ひとえに	[ほかでもなく]	今回の敗北の責任はひとえに私にある。
⑪	ひいては	[それが影響を与えて]	君の成功は、ひいては会社のためにもなる。
⑫	各々	[それぞれ]	各々弁当持参で、現地集合してください。
⑬	くれぐれも	[繰り返して、十分に]	くれぐれも体に気を付けてください。

II. 基本練習 ≫

1 連語　一緒に使う言葉を覚えよう。

例のように一緒に使う言葉を線で結びなさい。

(1)
逐一　　　　・	・文句を言われる・非難される・口出しをする
切に　　　　・	・元気になる・興味がわいてくる・活気が出てくる
とやかく　　・	・説明する・調べる・検討する
俄然_{がぜん}　　　　・	・願う・祈る・望む

(2)
たかだか　　・	・あきれる・うれしい・そう思う
一躍　　　　・	・よろしくお伝えください・ご注意を・失礼のないように
くれぐれも　・	・知れ渡る・人気作家になる・脚光を浴びる
心底　　　　・	・一万円のかばん・二百年の歴史・係長になったぐらい

2 意味　意味の違いに気を付けよう。

▢▢▢ の中から適当な言葉を選んで、（　　）に入れなさい。

(1)
極力　　思い切り　　ひたすら

　① ご迷惑をおかけしたお客様には（　　　　　　）お詫_わびを申し上げるしかない。

　② 用事があっても、あんな危ないところへは、（　　　　　　）行かないほうがいいですよ。

　③ おもちが固かったので、（　　　　　）力を入れて切ったら、包丁の刃が欠けた。

(2)
隈_{くま}なく　　根こそぎ　　ことごとく

　① その博物館を（　　　　　　）見て回ろうとすると、三日は掛かるだろう。

　② 息子は私の言うことに（　　　　　）反論する。

　③ この薬を使えば、家の中のダニを（　　　　　）退治することができます。

(3)
大方　　概_{おおむ}ね　　総じて

　① 経営者だった彼も、倒産によって財産を（　　　　　　）失ってしまった。

　② 一人（　　　　　　）三分ぐらいで、自分の意見を言ってください。

　③ （　　　　　）言えば、日本には高い山が少ない。

(4)
自ら　　自_{おの}ずから　　ひとりでに

　① 懸命に努力に努力を重ければ、道は（　　　　　　）開けるだろう。

　② 英語のCDを聞いていたら、（　　　　　　）英語がしゃべれるようになっていた。

　③ 社長である彼女が（　　　　　）店頭に立って、新しい商品の説明をしている。

(5)　| 心底　　一心に　　根っから |

① 先生がかつて私の国に三十年も住んでいたと聞き、（　　　　　）驚いてしまった。

② 娘はコンクールに出すための絵を（　　　　　）描いていた。

③ あいつは（　　　　　）うそつきなんだから、言うことを真に受けちゃいけないよ。

(6)　| たかが　　たかだか　　せいぜい |

① 日本語教師の給料ではいくら多くても（　　　　　）知れている。

② 体にだけは気を付けて、（　　　　　）勉強に励みなさい。

③ （　　　　　）五万円のスーツですが、就活のためにバイトして先週やっと買ったんです。

(7)　| 一気に　　一挙に　　一斉に |

① 宿題を出すと言ったら、生徒たちは（　　　　　）不満の声を上げた。

② とても面白い小説だったので、（　　　　　）最後まで読んでしまった。

③ 今後数年は掛かるそうだが、（　　　　　）三十もの図書館が市内に建設されるという。

(8)　| 現に　　真に　　直に |

① 弱者が安心して暮らせる社会こそ、（　　　　　）豊かな社会というものだ。

② 作品に触れるときには、（　　　　　）触れるのではなく、必ず手袋をはめてください。

③ 景気の回復が予想されていますし、（　　　　　）失業率も低下してきています。

(9)　| 転々と　　黙々と　　悠々と |

① 授業が始まっているのに、（　　　　　）廊下を歩いている学生がいる。

② 掃除が終われば早く帰れるとあって、彼女は（　　　　　）部室の掃除を続けていた。

③ 特にやりたいこともなかった彼は（　　　　　）職を変えてばかりいた。

3 用法　使い方に気を付けよう。

下線の言葉の使い方が正しい文には○、間違っている文には×を（　）に入れなさい。

また、間違っている場合には、下線の言葉に代わる正しい言葉を書きなさい。

(例)　こんな遠いところまで、よくも来てくださいました。　　　　　（ × ）＿＿＿よく＿＿＿

(1)　皿の上の氷はおもむろに溶けていった。　　　　　　　　　　（　　）＿＿＿＿＿＿＿＿＿

(2)　山田さんは釣りの道具を一通り持っていた。　　　　　　　　（　　）＿＿＿＿＿＿＿＿＿

(3)　元来彼女はこんな山奥には来たくないと言っていた。　　　　（　　）＿＿＿＿＿＿＿＿＿

(4)　日本に留学して、彼女は日本語が俄然（がぜん）うまくなった。　（　　）＿＿＿＿＿＿＿＿＿

(5)　あんまりおいしいので、とかく食べすぎてしまった。　　　　（　　）＿＿＿＿＿＿＿＿＿

III. 実践練習 ≫

1. ( )に入れるのに最もよいものを、1・2・3・4から一つ選びなさい。(1点×10問)

1 日ごろ、点検をおろそかにしないことが、( )事故を防ぐことにつながるのだ。
   1 あるいは   2 ひいては   3 ひたすら   4 もしくは

2 犯人の住むマンションから盗品が( )出てきた。
   1 続々と   2 刻々と   3 着々と   4 悠々と

3 寝食を忘れ、( )勉強を続ける彼の姿には頭が下がる。
   1 ひたすら   2 もっぱら   3 ひとえに   4 もっとも

4 不況の影響でこの業界を代表する企業が( )倒産してしまった。
   1 各々   2 隈なく   3 軒並み   4 総じて

5 こうして卒業論文を書き終えられたのは( )先生方のご指導のおかげです。
   1 自ずと   2 しいて   3 ひとえに   4 ひとりでに

6 試験のときは誰でも( )緊張しがちだ。
   1 いかにも   2 つとめて   3 とかく   4 とやかく

7 そんなにいい人だと言うのなら、( )会ってみたいんですが。
   1 意外に   2 早速   3 迅速に   4 不意に

8 彼はその資料を( )社外に持ち出そうとしたのがばれて、会社を首になった。
   1 極秘で   2 内々に   3 密かに   4 人知れず

9 実験を続けたが、( )失敗し、何の成果も上がらなかった。
   1 くまなく   2 ことごとく   3 つくづく   4 なにげなく

10 私は( )人前で話すことが苦手なたちで、今も大変に苦手としている。
   1 外来   2 元来   3 古来   4 本来

2. ___の言葉に意味が最も近いものを、1・2・3・4から一つ選びなさい。(1点×5問)

1 賃金を三割カットするなどという提案は、断固拒否すべきだ。
   1 本当に   2 絶対に   3 極端に   4 適切に

2 三人が各々得意な料理を作って、先生のお宅に持ち寄った。
   1 こそこそ   2 それぞれ   3 たまたま   4 やすやす

3 才能のない人間がいたずらに努力を続けても、よい結果は得られないだろう。
   1 無為に   2 無事に   3 無性に   4 無駄に

4 駅まで遠いといっても、たかだか歩いて二十分ぐらいでしょう。
   1 およそ   2 せいぜい   3 たった   4 わずか

5 この政策のそもそもの目的は日本の国際的地位を向上させることにあった。
   1 いままで   2 いまから   3 もともと   4 またまた

3. 次の言葉の使い方として最もよいものを、1・2・3・4から一つ選びなさい。(2点×5問)

1 一斉に

   1 田中教授は遺伝子の研究で、一斉に有名になった。✗

   2 彼はコップのビールを一斉に飲みほした。✗

   ③ 高校入試が全国各地で一斉に始まった。

   ④ その犬は子犬を一斉に五匹も生んだ。

2 とやかく

   1 病気のときはとやかく医者に行ったほうがいい。✗

   2 人間は注意されると、とやかく素直にそれを聞けないものだ。✗

   3 答えがわからなかったので、とやかく自分の知っていることを書いておいた。

   ④ 人がやっていることに、とやかく口を挟まないでください。

3 くれぐれも

   1 これは大切な書類だから、くれぐれも落としたりしないように。

   2 今年の夏は去年の夏に比べてくれぐれも暑い。

   3 私は家族に日本で起こったことをメールでくれぐれも伝えている。

   4 私は健康にはくれぐれも気を付けている。

4 おおかた

   1 昨日はおおかた疲れていたので、早く寝てしまった。

   ② 彼のことだから、おおかた今日も寝坊をしたのだろう。

   3 最近、迷惑メールが多く、おおかた困っている。

   4 おおかた百人ほどの学生が教室にはいた。

5 つとめて

   1 今日はつとめて夏らしい、とても暑い日だ。

   2 先生のおうわさは上司からつとめて伺っておりました。

   3 彼には仕事を一回断られたが、つとめてお願いして、引き受けてもらった。

   4 うそがばれても、彼女はつとめて平静を装っていた。

Ⅰ. 言葉と例文 ≫

1 ウォーミングアップ

次のうち正しいのは？……

客が誰もおらず、店の中は
- a がらんだった。
- b がらんとしていた。
- c がらんになっていた。

2 言葉

1. ものの様子（～と）	
① **がらりと**	［急に大きく変化して］トンネルを抜けたら、天気ががらりと変わった。
② **がくんと**	［急に下がって］前の学期より成績ががくんと落ちた。
③ **ぐんぐん（と）**	［加速度的に］塾に入ったら、成績がぐんぐん伸びた。
④ **ずんずん（と）**	［勢いよくどんどん］雪がずんずん積もっている。
⑤ **じわりと**	［ゆっくり変化して］さっき飲んだ薬がじわりと効いてきた感じがする。
⑥ **からりと**	［乾燥してさわやかに］昨日は雨だったが、今日はからりと晴れた。
⑦ **ぐっしょり（と）**	［とても濡れている］大雨に遭い、下着までぐっしょりと濡れた。
⑧ **こうこうと**	［明るく輝いて］部屋の電気がこうこうとついている。
⑨ **きらりと**	［一瞬明るく］一番星が夜空にきらりと光った。
⑩ **きっかり**	［ちょうど正確に］会議は八時きっかりに始まった。
⑪ **まるまる（と）**	［全部（で）／丸く太って］作品の完成までにまるまる一週間かかる。
⑫ **ちらほら（と）**	［間をあけて少しずつ／たまに］暖かくなって、桜もちらほら咲き始めた。

2. ものの様子（～する／～している／～と）	
① **がらんと**	［広く誰もいない／何もない］生徒が帰り、教室はがらんとしていた。
② **しんと**	［音がしない］夜十二時を過ぎて、町中がしんとしていた。
③ **どんより（と）**	［雲が多く、暗く］空がどんよりとして、今にも雨が降りそうだった。
④ **しんなり（と）**	［柔らかくなる］野菜がしんなりしたら、塩を入れてください。
⑤ **じっとり（と）**	［ひどく湿っている］布団がじっとりするほど、汗をかいてしまった。
⑥ **ちくちく（と）**	［細いものが突き刺さる］このセーターを着ると、首がちくちくする。

3. ものの様子（～だ／～に／～な／～の）

①	**すかすか**	[隙間がたくさんある] 箱ばかり大きくて、中身はすかすかだ。
②	**ぎゅうぎゅう**	[無理に押し込める] 旅行かばんの中は荷物でぎゅうぎゅうだった。
③	**ぱんぱん**	[破けそうなほど膨らんでいる] 荷物が多すぎて、かばんがぱんぱんだ。
④	**ゆるゆる**	[大きすぎる／水分が多い] 兄のズボンを借りたら、ゆるゆるだった。

| ⑤ | **ぐにゃぐにゃ** | [軟らかくて変形しやすい] 暑さで、チョコレートがぐにゃぐにゃだ。 |
| ⑥ | **こちこち** | [とても硬い] 冷凍室に入っていたので、魚がこちこちだ。 |

⑦	**とびとび**	[連続しない] たくさんの島がとびとびに並んでいた。
⑧	**まちまち**	[個々ばらばら] その映画の評価は、評論家の間でもまちまちだった。
⑨	**とんとん**	[ほとんど差がない] どこの店でもそのテレビの値段は、とんとんですよ。

4. 人の様子（～と）

①	**ずかずか（と）**	[遠慮なく（～入る）] 人の心の中にずかずか入ってこないでよ。
②	**ぬけぬけ（と）**	[厚かましいことを平気で] 彼はぬけぬけとまたお金を借りに来た。
③	**のこのこ（と）**	[状況を考えずに（～現れる）] 授業の終わりごろに学生がのこのこ入ってきた。
④	**ばんばん**	[ためらうことなく次々に] 彼女はブランド品をばんばん買っていた。
⑤	**おずおず（と）**	[ためらいながら] 彼はおずおずと自分のミスについて話し始めた。
⑥	**すごすご（と）**	[がっかりして] 試合に負け、選手たちはすごすごと帰宅した。

⑦	**ずけずけ（と）**	[遠慮なく（～言う）] 彼女は上司に対してもずけずけものを言う。
⑧	**ぶうぶう（と）**	[不満そうに／不平を] 「小遣いが少ない」と夫がぶうぶう文句を言う。
⑨	**ぽつりと**	[一言] 彼はぽつりと「どこかへ行きたい」と言った。
⑩	**ぽんぽん（と）**	[勢いよく次々に] 冗談がぽんぽんと彼の口をついて出てきた。

⑪	**てくてく（と）**	[遠いところを一歩一歩] お婆さんはてくてく歩いて川に行きました。
⑫	**どたどた（と）**	[重く大きな音で] どたどた歩いていると、下の階の人に悪いよ。
⑬	**とぼとぼ（と）**	[元気なく歩いて] 借金を断られ、彼はとぼとぼと帰っていった。

⑭	**ひょいと**	[軽い動きで] 彼は重い荷物をひょいと肩に担いだ。
⑮	**ひらりと**	[軽やかに体を回転させて] 泥棒はひらりと塀を越えていった。
⑯	**ふらりと・ふらっと**	[目的もなく] 帰りに、ふらっと居酒屋に立ち寄った。

⑰	**さめざめ（と）**	[悲しそうに静かに] 息子の死を知り、彼女はさめざめと泣いた。
⑱	**しげしげ（と）**	[調べるように] 警官は私の顔をしげしげと見た。
⑲	**まざまざ（と）**	[はっきりしすぎるほど] 実力の違いをまざまざと見せつけられた。
⑳	**おちおち**	[落ち着かず] 話し声が気になって、おちおち勉強もできなかった。

1 連語 一緒に使う言葉を覚えよう。

例のように一緒に使う言葉を線で結びなさい。

(1) がくんと・　　　　・変わる　　(2) じっとり　・　　　　・湿る
　　からりと・　　　　・下がる　　　　ちくちく　・　　　　・凍る
　　がらりと・　　　　・晴れる　　　　ぱんぱんに・　　　　・はれる
　　きらりと・　　　　・輝く　　　　　こちこちに・　　　　・刺さる

(3) しんと　　　　・　　・曲がる　　(4) まるまると・　　　　・広がる
　　ぐっしょり　・　　・濡れる　　　　じわりと　・　　　　・見かける
　　どんより　　・　　・曇る　　　　　ずんずん　・　　　　・太る
　　ぐにゃぐにゃ・　　・静まり返る　　ちらほら　・　　　　・進む

(5) こうこうと　　・　　・育つ　　(6) のこのこ・　　　　・入り込む
　　がらんと　　　・　　・詰め込む　　すごすご・　　　　・立ち去る
　　ぎゅうぎゅうに・　　・空く　　　　ずかずか・　　　　・出かける
　　ぐんぐん　　　・　　・光る　　　　さめざめ・　　　　・涙を流す

(7) ふらりと・　　・言う
　　とぼとぼ・　　・見つめる
　　しげしげ・　　・歩く
　　ずけずけ・　　・現れる

2 意味 意味の違いに気を付けよう。

▢▢▢の中から適当な言葉を選んで、(　　)に入れなさい。

(1) | きっかり　　とんとん　　まちまち |

　　① 上半期は売り上げがよかったが、下半期は売り上げが落ち、収支は(　　　　)だ。

　　② 午後十時(　　　　)の便で日本へ行く。

　　③ 制服がない学校だったので、生徒たちの服装は(　　　　)だった。

(2) | おちおち　　おずおず　　ぬけぬけ |

　　① 汚職の疑いで捕まったのに、その政治家は(　　　　)と「私は潔白だ」と言った。

　　② 食事中に何本も電話が掛かってきて、(　　　　)食べていられなかった。

　　③ 子供は、花瓶を割ってしまったことを、(　　　　)と母親に打ち明けた。

(3) | てくてく　　　どたどた　　　とぼとぼ |

① 試験に落ち、（　　　　　　）と歩いて帰る姿はいかにもみじめだった。

②（　　　　　　）と誰かが廊下を走る音がうるさくて、目が覚めてしまった。

③ その子は、10キロの道のりを元気に（　　　　　　）歩いて、学校に通っていました。

(4) | ぶうぶう　　　ぽんぽん　　　ぽつりと |

① 日本人の私も知らないような日本語が留学生の彼の口から（　　　　　　）飛び出した。

②「もう私たち、別れたほうがいいんじゃない？」と彼女は突然（　　　　　　）つぶやいた。

③ 日曜日に子供たちをどこかに連れていかないと、（　　　　　　）言われる。

3 用法　使い方に気を付けよう。

下線の言葉の使い方が正しい文には○、間違っている文には×を（　）に入れなさい。

また、間違っている場合には、下線の言葉に代わる正しい言葉を書きなさい。

(例) 雨が何日も続いて、部屋の中も<u>しんなり</u>している。　　　　（ × ）　じっとり

(1) 彼は<u>ひらり、ひらり</u>と相手のパンチをかわした。　　　　（　）＿＿＿＿＿＿＿

(2) 初対面なのに、私の顔や服を<u>まざまざ</u>と見ている。　　　（　）＿＿＿＿＿＿＿

(3) 地震で建物が<u>ゆるゆる</u>揺れた。　　　　　　　　　　　　（　）＿＿＿＿＿＿＿

(4) 昼ご飯を食べていないので、もうおなかが<u>すかすか</u>だ。　（　）＿＿＿＿＿＿＿

(5) 何でも好きなものを<u>ばんばん</u>注文しちゃっていいよ。　　（　）＿＿＿＿＿＿＿

(6) 勝手に人のうちの玄関に<u>ずけずけ</u>入ってこないでくれ。　（　）＿＿＿＿＿＿＿

(7) 鳥が巣の中から<u>ひょいと</u>頭を出した。　　　　　　　　　（　）＿＿＿＿＿＿＿

4 用法　間違いに気を付けよう。

下線の部分を変えて、正しい文にしなさい。

(例) 今日は雲が多くて、空が<u>どんよりだ</u>。　　　　　　　→　どんよりしている

(1) その夜は星が<u>こうこうに</u>光っていた。　　　　　　　→＿＿＿＿＿＿＿＿＿

(2) ダイエットしたら、今までの服が<u>ゆるゆるする</u>。　　→＿＿＿＿＿＿＿＿＿

(3) おなかが<u>ぱんぱんしていて</u>、もう食べられないよ。　→＿＿＿＿＿＿＿＿＿

(4) 髪の毛がシャツの中に入って、<u>ちくちくだ</u>。　　　　→＿＿＿＿＿＿＿＿＿

(5) きゅうりに塩を振ると、<u>しんなりになってきます</u>。　→＿＿＿＿＿＿＿＿＿

(6) 走ったので、Tシャツが汗で<u>じっとりに</u>濡れてしまった。→＿＿＿＿＿＿＿＿＿

III. 実践練習 ≫

1. (　　　)に入れるのに最もよいものを、1・2・3・4から一つ選びなさい。（1点×10問）

1. 彼がきちんと絞らなかったので、ふきんはまだ（　　　）濡れていた。
   1　ぐっしょり　　　2　ぐったり　　　3　じっとり　　　4　じわり

2. 秋も終わり近くになり、木の葉も（　　　）落ちてしまった。
   1　がらりと　　　2　じわりと　　　3　すっかり　　　4　ぱったり

3. 川口さんは社会人になってから、（　　　）雰囲気が変わった。
   1　からりと　　　2　がらりと　　　3　すらりと　　　4　ふらりと

4. 彼は、新入社員のころは（　　　）していたが、経験を積んで、自信をつけたようだ。
   1　おずおず　　　2　おちおち　　　3　おどおど　　　4　どたどた

5. 彼はまだ新人だが、彼の書く小説には（　　　）光るものがある。
   1　からりと　　　2　きらりと　　　3　こうこうと　　　4　はきはきと

6. 今年はゴールデンウイークの休みが（　　　）で、まとまった休みが取れない。
   1　ぎゅうぎゅう　　　2　すかすか　　　3　ちらほら　　　4　とびとび

7. 呼ばれてもいないのに、彼は（　　　）山田先生の送別会にやってきた。
   1　おちおち　　　2　すごすご　　　3　のこのこ　　　4　わくわく

8. 「お代わりしてもいいですか」とその子は（　　　）私に聞いた。
   1　おずおずと　　　2　しげしげと　　　3　ずかずかと　　　4　すごすごと

9. ベッドの上には、（　　　）とした、健康そうな赤ちゃんが寝ていた。
   1　しんなり　　　2　ふっくら　　　3　ほっそり　　　4　まるまる

10. うちに帰ったら、「ボーナスが少ない」と（　　　）文句を言われた。
    1　しげしげ　　　2　ずかずか　　　3　まざまざ　　　4　ぶうぶう

2. ＿＿の言葉に意味が最も近いものを、1・2・3・4から一つ選びなさい。（1点×5問）

1. どちらの選手にもよいところと悪いところがあるので、実力はとんとんだと思う。
   1　同じぐらいだ　　2　調度いい　　　3　はっきりしている　4　わからない

2. 彼はぬけぬけと「自分はやっていない」とうそをついた。
   1　いやらしく　　　2　ずうずうしく　　3　すがすがしく　　4　わざとらしく

3. 彼女が何時に会社に来るかは日によってまちまちだった。
   1　ぼんやり　　　2　ちょうど　　　3　ばらばら　　　4　はっきり

4. 最近、そのブランドのかばんを持った人を町でちらほら見かける。
   1　たまに　　　2　かなり　　　3　あちこち　　　4　たびたび

5. 私が考えたことをまるまる人にまねされてしまった。
   1　大部分　　　2　全部　　　3　大体　　　4　全体

3. 次の言葉の使い方として最もよいものを、1・2・3・4から一つ選びなさい。(2点×5問)

1 まざまざ

   1 その映画はまざまざ見るに値する映画ではない。

   2 初めて会った人だったので、最初のうちは会話もまざまざしていた。

   3 彼の手紙から戦場の悲惨な状況がまざまざと伝わってくる。

   4 明日が試験だと思うと、胸がまざまざして眠れなかった。

2 きっかり

   1 彼は約束の時間きっかりに駅に現れた。

   2 彼女は彼からの誘いをきっかり断った。

   3 彼の書く字はきっかりしていて、とても読みやすかった。

   4 箱の中にはお菓子がきっかり並んでいた。

3 ずかずか

   1 ちょっと大きかったのか、靴がずかずかで、すぐ脱げてしまう。

   2 明日が試験なのに、また、ずかずかカラオケをしに出かけていった。

   3 断りもなしに、人のケーキをずかずか食べないで。

   4 ノックもしないで、人の部屋にずかずか入ってこないでよ。

4 がらりと

   1 新しい店もできて、町の印象が十年前とはがらりと変わった。

   2 明日はがらりとしたいいお天気になるでしょう。

   3 練習をしたので、歌ががらりと上手に歌えるようになった。

   4 前の学期より成績ががらりと下がった。

5 ずけずけ

   1 本当のことでも、あまりずけずけ言われると、腹が立つ。

   2 彼は、自分の秘密でも隠さず、ずけずけと話す、正直な人だ。

   3 話し方がずけずけしていて、話の内容がよくわからなかった。

   4 あんなにずけずけものを食べる人を初めて見た。

Ⅰ. 言葉と例文 ≫

1 ウォーミングアップ

次のうち正しいのは？……

あんなにお酒を飲んでも、山田さんは
- a　けろりだった。
- b　けろりとしている。
- c　けろりになった。

2 言葉

1. 人の様子（～と）	
① **がぶり（と）**	[大きな口で一気に] ライオンは大きな肉をがぶりと食べた。
② **ばくばく（と）**	[大きな口で豪快に] 息子はばくばくカレーを食べた。
③ **ごくごく（と）**	[大量にどんどん] 赤ちゃんはミルクをごくごくと飲んだ。
④ **ありあり（と）**	[外からはっきりと] 彼女が不満なのがありありとわかった。
⑤ **ひしひし（と）**	[迫ってくるように] 七十を過ぎて、老いをひしひしと感じる。
⑥ **ほとほと**	[本当に困って] 兄の酒好きには、ほとほと手を焼いている。
⑦ **すいすい（と）**	[問題なく順調に／動きも軽く] 今日は、仕事がすいすい進んだ。
⑧ **するする（と）**	[滑るように] 猿はするすると木を登っていった。
⑨ **ころりと**	[簡単に] 彼は詐欺師にころりとだまされた。
⑩ **のっそり（と）**	[動きが遅く] 大きな男がのっそりと立ち上がった。
⑪ **ぱたりと・ぱったり（と）**	[続いていたものが止まって] 客がぱたりと来なくなった。
⑫ **みっちり（と）**	[休まないで厳しく] 夏休みの間、みっちりピアノの練習をした。
⑬ **やんわり（と）**	[柔らかく] 部長は係長の態度をやんわりと注意した。
⑭ **くすくす（と）**	[声をひそめて] 私の顔を見て、学生たちはくすくす笑った。
⑮ **ごしごし（と）**	[強くこすって] 母は玄関の床をごしごし磨いていた。
⑯ **どしどし**	[積極的に] 懸賞にどしどしご応募ください。
⑰ **どやどや（と）**	[大勢が騒ぎながら] 火事と聞いて、野次馬がどやどや出てきた。
⑱ **みすみす**	[目の前にしながら] チャンスをみすみす逃すわけにはいかない。
⑲ **めきめき（と）**	[非常に向上して] 日本に来て、日本語がめきめき上達した。

2. 人の様子（〜する／〜している／〜と）

① **うずうず** ［欲求が抑えられない］彼はゴルフがしたくて、うずうずしている。

② **うんざり** ［あきあきする］日曜日も学校だなんて、まったくうんざりする。

③ **じりじり** ［待ちきれず、いらだつ］来るのが遅い彼を皆じりじりしながら待っていた。

④ **びくびく** ［怖がる］親に怒こられると思って、びくびくしていた。

⑤ **もんもんと** ［悩み苦しむ］就職が決まらず、日々もんもんとしていた。

⑥ **やきもき** ［心配で落ち着かない］無事着いたという連絡が来ず、やきもきした。

⑦ **あたふた（と）** ［慌てる］急に意見を求められて、あたふたしてしまった。

⑧ **どぎまぎ** ［平静を失う］英語で話しかけられ、どぎまぎしてしまった。

⑨ **どきんと** ［驚き、喜びなどで心臓が激しく打つ］彼女に急に手を握られて、どきんとした。

⑩ **まごまご** ［適切に行動できない］兄は赤ちゃんに泣かれ、まごまごしていた。

⑪ **あくせく（と）** ［余裕なく頑張る］あまりあくせくせずに、生活を楽しまなきゃ。

⑫ **いそいそ（と）** ［喜び急いで］妹はいそいそとコンサートへ出かけた。

⑬ **せかせか（と）** ［忙しく落ち着かない］そんなにせかせかしないで、休んでいったら？

⑭ **きょとんと** ［状況がわからない］注意されたが、彼はきょとんとしていた。

⑮ **ぽかんと** ［ぼんやりする］先生がきれいだからって、ぽかんとしてちゃだめだよ。

⑯ **はればれ** ［悩みごとがなくなる］試験が終わって、気分がはればれした。

⑰ **ほれぼれ** ［感心する］彼の絵の上手さにはまったくほれぼれする。

⑱ **ぶすっと** ［不満そうに黙る］注意されて、その学生はぶすっとしていた。

⑲ **むっつり（と）** ［しゃべらず愛想がない］課長はむっつりした顔で部屋に入ってきた。

⑳ **さばさば** ［さっぱりしている・執着しない］姉は、口は悪いが、性格はさばさばしている。

㉑ **ねちねち（と）** ［しつこい］先生はねちねちした性格で、嫌われている。

㉒ **うかうか** ［油断している］うかうかしていると、弟に追い抜かれちゃうよ。

㉓ **けろりと** ［平然としている］弟は、試験に落ちたのに、けろりとしている。

㉔ **すらっと・すらりと** ［細く伸びている］田中さんはすらっとしていて、かっこいい。

㉕ **ちょこまか（と）** ［小さく素早く動く］狭い台所でちょこまかしないで。

3. 人の様子（〜だ／〜に／〜な／〜の）

① **あやふや** ［あいまい］質問をしても、彼の答えはあやふやだった。

② **うやむや** ［はっきりしないまま］事件の真相をうやむやにしてはいけない。

③ **かんかん** ［とても怒っている］宿題を忘れた学生が多かったので、先生はかんかんだ。

④ **たじたじ** ［勢いに圧倒されている］生意気な子供の質問に先生もたじたじだ。

Ⅱ. 基本練習 ≫

1 連語　　一緒に使う言葉を覚えよう。

例のように一緒に使う言葉を線で結びなさい。

(1)　くすくす・　　　・飲む　　　　　(2)　すいすい・　　　・こする

　　　ごくごく・　　　・やむ　　　　　　　　ほとほと・　　　・負ける

　　　ばくばく・　　　・笑う　　　　　　　　ごしごし・　　　・泳ぐ

　　　ぱたりと・　　　・食べる　　　　　　　ころりと・　　　・困る

(3)　ぽかんと・　　　・働く

　　　ひしひし・　　　・口を開ける

　　　あくせく・　　　・伝わってくる

　　　いそいそ・　　　・出かける

2 意味　　意味の違いに気を付けよう。

□□□の中から適当な言葉を選んで、（　　）に入れなさい。

(1)　| いそいそ　　びくびく　　みすみす |

　① 花瓶を割ったことでしかられるのではないかと思って、その子は（　　　　　）していた。

　② デートに出かけるので、彼女は（　　　　　）と服を選んでいた。

　③ 価格競争に負けて、ほかの会社に（　　　　　）顧客を奪われるわけにはいかない。

(2)　| あたふた　　あくせく　　せかせか |

　① 電車が着くと、たくさんの通勤客が（　　　　　）とホームの階段を上っていった。

　② こんなに（　　　　　）働いているのに、どうして生活が楽にならないんだ。

　③ 「大変、寝坊しちゃった」と言って、姉は（　　　　　）と服を着替え、出かけていった。

(3)　| やきもき　　どぎまぎ　　まごまご |

　① 面接で自分の夢について聞かれたが、（　　　　　）してうまく答えられなかった。

　② 初めての駅で（　　　　　）していたら、乗ろうと思っていた電車に乗り遅れてしまった。

　③ 応援していた選手がほかの選手に負けるのではないかと、（　　　　　）してしまった。

(4)　| うかうか　　うずうず　　もんもん |

　① 生活費のことを考えると、（　　　　　）として寝られないことがよくあるんです。

　② 模擬試験がいくらよくても、本番も近いのだから、（　　　　　）してはいられない。

　③ 妹は、買ってきた服が早く着たくて（　　　　　）していた。

(5) するする　　どしどし　　どやどや

① 今日の会議では、経費削減のためのアイデアを（　　　　　）出してもらえればと思います。

② （　　　　　）と音もなく障子が開いて、店の主人が出てきた。

③ 団体客が（　　　　　）と入ってきたので、静かなレストランの雰囲気が台無しになった。

(6) けろりと　　ぶすっと　　はればれと

① 全力を出したという満足感からか、彼女は試合の後、（　　　　　）した顔をしていた。

② 試合に負けたのが悔しかったらしく、彼女は（　　　　　）していた。

③ 彼女は試合に負けても、（　　　　　）していた。

3 用法　　使い方に気を付けよう。

下線の言葉の使い方が正しい文には○、間違っている文には×を（　）に入れなさい。

また、間違っている場合には、下線の言葉に代わる正しい言葉を書きなさい。

例）　妻は夫に隠して、のっそり貯金をしていた。　　　　　　　（ × ）　こっそり

(1) 記憶がうやむやで、そのときのことをよく覚えていない。　（　　）＿＿＿＿＿＿

(2) カレーは好きだが、毎日続くと、うんざりしてしまう。　（　　）＿＿＿＿＿＿

(3) みっちり勉強したので、試験ではいい点が取れると思う。　（　　）＿＿＿＿＿＿

(4) 彼は、すらっと手を出して、転びそうな私を支えてくれた。（　　）＿＿＿＿＿＿

(5) この市の高齢者の数はめきめき増えている。　　　　　　（　　）＿＿＿＿＿＿

(6) 今日は天気がいいので、富士山がありありと見える。　　（　　）＿＿＿＿＿＿

(7) 犬にがぶりとやられて、ズボンに穴が開いてしまった。　（　　）＿＿＿＿＿＿

4 用法　　間違いに気を付けよう。

下線の部分を変えて、正しい文にしなさい。

例）　子供にいたずらをされて、母親はかんかんしていた。　　→　かんかんだった

(1) あやふやした態度は、周囲の誤解を招く原因になる。　　→＿＿＿＿＿＿＿＿

(2) 大人もたじたじするほど、その子は歌がうまかった。　　→＿＿＿＿＿＿＿＿

(3) 私の母は、とてもさばさばな性格の人だった。　　　　　→＿＿＿＿＿＿＿＿

(4) 病院からの連絡が来ず、家でもんもんになっていた。　　→＿＿＿＿＿＿＿＿

(5) 早く漫画が読みたくて、うずうずだ。　　　　　　　　　→＿＿＿＿＿＿＿＿

(6) 彼のねちねちの言い方には我慢ができなかった。　　　　→＿＿＿＿＿＿＿＿

III. 実践練習 ≫

1. （　　　）に入れるのに最もよいものを、1・2・3・4から一つ選びなさい。(1点×10問)

1 映画のチケットをもらったので、誘ってみたが、（　　　）断られてしまった。
 1　いやいや　　　　2　いよいよ　　　　3　やんわり　　　　4　わざわざ

2 彼女は筆を持つと、（　　　）と自分の名前を書いた。
 1　じわり　　　　　2　しんなり　　　　3　すらすら　　　　4　するする

3 おなかが破れてしまうのではないかと思うぐらい、彼は水を（　　　）飲んだ。
 1　がぶりと　　　　2　くすくすと　　　3　ごくごくと　　　4　ばくばくと

4 ホテル代が高いと聞いただけで、山田さんは（　　　）旅行をあきらめた。
 1　あっさり　　　　2　うんざり　　　　3　がっかり　　　　4　やんわり

5 子供たちに年寄り扱いされて、祖父は（　　　）だった。
 1　いらいら　　　　2　うずうず　　　　3　かんかん　　　　4　びくびく

6 十二時を過ぎると、太鼓の音が（　　　）やんだ。
 1　ころりと　　　　2　けろりと　　　　3　すらりと　　　　4　ぱたりと

7 あんなに強い横綱が、今日は（　　　）負けてしまった。
 1　からりと　　　　2　がぶりと　　　　3　がらりと　　　　4　ころりと

8 風邪で部下が三人も休み、仕事が進まず、（　　　）困っている。
 1　あくせく　　　　2　うずうず　　　　3　ほとほと　　　　4　みすみす

9 委員長に選ばれ、責任の重さを（　　　）と感じているところだ。
 1　ありあり　　　　2　おどおど　　　　3　びくびく　　　　4　ひしひし

10 仕事場で子供に（　　　）されると、まったく仕事にならない。
 1　ちょくちょく　2　ちょこまか　　　3　どぎまぎ　　　　4　まごまご

2. ＿＿の言葉に意味が最も近いものを、1・2・3・4から一つ選びなさい。(1点×5問)

1 近くにうちと同じような店ができるそうだから、うかうかしてはいられない。
 1　横断して　　　　2　決断して　　　　3　判断して　　　　4　油断して

2 部長は、ミスを犯した課長にねちねちとお説教をしていた。
 1　かしこく　　　　2　しつこく　　　　3　すばやく　　　　4　やさしく

3 誰に責任があるのか、うやむやにするわけにはいかない。
 1　隠したまま　　2　忘れたまま　　3　教えないまま　　4　明らかにしないまま

4 道が込んでいて、約束の時間に遅れそうだったので、やきもきした。
 1　急いだ　　　　2　困った　　　　3　連絡した　　　　4　落ち着かなかった

5 隣の家が火事になったが、あたふたするばかりで、何もできなかった。
 1　慌てる　　　　2　怖がる　　　　3　心配する　　　　4　不安になる

3. 次の言葉の使い方として最もよいものを、1・2・3・4から一つ選びなさい。（2点×5問）

1 むっつり

   1　お菓子をもらっても、その子はむっつりしたままだった。

   2　侮辱されて、田中さんはむっつりして、言い返した。

   3　一日中、山の中を歩いていたので、足がむっつりする。

   4　しばらくうちに来ていなかった友人が昨日むっつり現れた。

2 たじたじ

   1　彼の家族はたじたじ日本に来ているという。

   2　ダイエットで10キロやせたので、前の服がたじたじになった。

   3　日本の必死の攻撃に、優勝候補のブラジルもたじたじだった。

   4　何を聞いても、彼女の答えはいつもたじたじだった。

3 じりじり

   1　親が亡くなって、じりじりそのありがたさを感じている。

   2　確かに山田さんは怖い人だけど、そんなにじりじりすることはないよ。

   3　この服は長い間着ていると、じりじりになってしまう。

   4　川口さんはじりじりしながら山本さんが来るのを待っていた。

4 きょとんと

   1　待ち合わせに友人が来ないので、きょとんと周りを見回した。

   2　大きな犬に突然飛びかかられて、きょとんとしてしまった。

   3　口を開けて、きょとんと外を見ていたら、先生に注意された。

   4　旧姓で呼ばれて気付かず、一瞬きょとんとしてしまった。

5 ほれぼれ

   1　父は長い手術を終えて、ほれぼれとした表情をしていた。

   2　彼の肉体はほれぼれするほど、よく鍛えられていた。

   3　彼はほれぼれブラジルからやってきた留学生です。

   4　隣のうちの音がうるさくて、ほれぼれ困っている。

Ⅰ. 言葉と例文 ≫

1 ウォーミングアップ

どこかおかしい？……

A：家がだいぶ古くなったんで、今度、少し<u>手を入れよう</u>と思っているんですよ。

B：新しい家を買うんですか。いいですね。

A：いいえ、買うんじゃありません。

2 言葉

顔	**〜が売れる** ［多くの人に知られるようになる］
	あの人はテレビに出るようになって、少しずつ顔が売れてきた。
	〜を立てる ［相手の立場や体面を傷つけないようにする］
	気が進まないが、上司の顔を立てて、企画書に上司の考えを含めた。
頭	**〜が下がる** ［自分にはできない行動に感心して、尊敬する気持ちを持つ］
	七十歳を過ぎても学び続けている祖母には頭が下がる。
	〜を抱える ［よい解決方法や考えが思い浮かばず、困る・悩む］
	どうすればいいのかわからず、頭を抱えている。
目	**〜がくらむ** ［あることやものに心が揺れて、正しい判断ができなくなる］
	お金に目がくらんで、会社の内部情報をライバル会社に教えてしまった。
	〜が肥える ［よいもの・価値のあるものを多く見て、ものを見る力がつく］
	消費者の目が肥えてきたので、安いだけでは売れなくなってきた。
	〜が冴える ［頭がはっきりして、眠れない］
	コーヒーを飲みすぎて目が冴えてしまって、なかなか眠れなかった。
	〜が高い ［よいものを見分ける能力がある］
	最高級の素材を使っている商品を選ぶとは、あなたは本当に目が高い。
	〜が届く ［注意や監督が十分にできる］
	親の目が届くところで子供を遊ばせている。
	〜にする ［実際に見る］
	新聞で環境問題を取り上げた記事をよく目にする。
	〜もくれない ［まったく興味や関心を示さない］
	帰宅した息子はおやつには目もくれず、ゲームを始めた。
	〜を引く ［目立って人に注意を向けさせる］
	部屋に入った客の目を引いたのは、赤々と燃える暖炉だった。

	〜を離す　[注意していた目を別のところへ向ける]	
	うちの子はちょっと目を離したら、すぐ遊びに行ってしまう。	
口	**〜が肥える**　[いろいろ食べているので、食べ物の味がよくわかるようになる]	
	彼女は小さいときからおいしいものを食べているので、口が肥えている。	
	〜が滑る　[言ってはいけないことをうっかり話してしまう]	
	話していけないと言われていたのに、つい口が滑ってしまった。	
	〜を挟む　[人の会話に横から入る]	
	関係ない人は口を挟まないでほしい。	
	〜をつぐむ　[何も話さない・黙っている]	
	妹は学校の話をしたくないらしく、学校の話になると口をつぐんでしまう。	
耳	**〜につく**　[聞こえる音がうるさくて、気になる]	
	試験中、周りの人が鉛筆で書く音が耳について集中できなかった。	
	〜に挟む　[聞く]	
	先輩が結婚するらしいという話を耳に挟んだ。	
鼻	**〜にかける**　[自慢する]	
	彼女は自分がお金持ちであることを鼻にかけて、ほかの人をばかにしている。	
	〜につく　[言葉や態度が気になって、嫌になる・嫌味だと思う]	
	自分は何でも知っているという彼の態度が鼻につく。	
	〜をつく　[強い匂いで鼻に刺激を受ける]	
	ドアを開けると、嫌な匂いが鼻をついた。	
手	**〜に余る**　[能力を超えている]	
	私の手に余る問題なので、上司に相談しようと思う。	
	〜に負えない　[自分の力では対応できない]	
	けんかを止めようとしたが、手に負えなくて警察を呼んだ。	
	〜に乗る　[相手の策略にかかり、相手の思い通りになる]	
	うまいことを言って私にさせようとしているが、その手には乗らない。	
	〜を切る　[今までの関係を断つ]	
	昔の悪い友達とはもう手を切って、全然連絡を取っていない。	
	〜を差し伸べる　[力を貸す・助ける]	
	困ったときに手を差し伸べてくれた友人のことは一生忘れない。	
	〜を尽くす　[できる限りのことをする]	
	お医者さんが手を尽くしてくれたおかげで、命は助かった。	
	〜を回す　[いろいろな手段で働きかける]	
	会社で起きた問題が新聞に出ないように手を回した。	

	～を焼く [扱いに困る] 子供のころは、元気がよすぎて親に手を焼かせた。
	～を入れる [よい状態にするために修正したり、直したりする] 家が古くなっていたので、手を入れてきれいにした。
	～を打つ [問題に対する対策をする・対処する] 問題を早く発見できれば、その分だけ早く手を打つことができる。
	～を引く [関与をやめる] これ以上損害が大きくならないうちに手を引いたほうがいい。
腕 うで	**～を磨く** [技術を向上させるために努力する] いろいろなレストランで修行をして、腕を磨いた。
	～を振るう [技術や能力を十分に発揮する] 得意な料理の腕を振るって、パーティーの準備をした。
肩 かた	**～を並べる** [対等の立場で能力が出せるようになる] 戦後の日本は欧米と肩を並べる経済大国に成長した。
	～を持つ [味方をする・ひいきする] 両方の話を聞かずに片方の肩を持つのは不公平だと思う。
	～の荷が下りる [責任や負担から解放されて、楽になる] 会長の立場から退いて、やっと肩の荷が下りた。
首 くび	**～を捻る** [疑いや反対の気持ちを持つ／理解できなくて、考える] 彼は納得ができないのか、首を捻っている。
	～を突っ込む [関心を持って、あることに関係する] 自分に関係のないことに首を突っ込まないほうがいい。

Ⅱ．基本練習 ≫

1 用法　使い方に気を付けよう。

下線の言葉の使い方が正しい文には○、間違っている文には×を入れなさい。

また、間違っている場合には下線の言葉に代わる正しい言葉を書きなさい。

(例)　いつもよいものを見ていると<u>目がくらんで</u>くる。　　　　　　　　（ × ）　目が肥えて

(1)　<u>裏に手を出して</u>、問題を解決した。　　　　　　　　　　　　（　　）＿＿＿＿＿＿

(2)　予想外の結果だったので、<u>首を捻（ひね）って</u>いる。　　　　　　（　　）＿＿＿＿＿＿

(3)　彼の言動が<u>鼻について</u>、いらいらする。　　　　　　　　　　（　　）＿＿＿＿＿＿

(4)　どんどん経験を積んで、<u>腕を磨こう</u>と思う。　　　　　　　　（　　）＿＿＿＿＿＿

(5)　不正を行う会社とは<u>手を引く</u>べきだ。　　　　　　　　　　　（　　）＿＿＿＿＿＿

(6)　路上で生活する子供を実際に<u>耳にして</u>、ショックだった。　　（　　）＿＿＿＿＿＿

(7)　部屋に<u>手を入れて</u>、きれいにした。　　　　　　　　　　　　（　　）＿＿＿＿＿＿

2 用法　使い方に気を付けよう。

□□□の中から適当な言葉を選んで、（　　　）に入れなさい。

(1)　| 顔　　首　　鼻　　目 |

①　外で遊んでいるときに子供が何をしているかまでは（　　　　　）が届かない。

②　（　　　　　　　）が売れてきたので、外に出ると、よく声を掛けられるようになった。

③　人の家庭問題に（　　　　　　）を突っ込んで、余計なことをするなと言われた。

④　あの人は自分が有名な作家であることを（　　　　　　）にかけず、とても親しみやすい。

(2)　| 手　　鼻　　肩　　腕 |

①　誕生日には母がいつも（　　　　　）を振るってごちそうを作ってくれた。

②　大きな仕事が無事に終わり、ようやく（　　　　　）の荷が下りた。

③　そんなうまいことを言っても、その（　　　　　）に乗るものか。

④　酢のような酸っぱい匂（にお）いが（　　　　　）をついた。

(3)　| 目　　口　　手　　肩 |

①　彼女はとても華やかな服を着ていて、（　　　　　）を引いた。

②　この仕事は私の（　　　　　）に余る。

③　経験を積んで、とうとう先輩の大女優と（　　　　　）を並べるほどに有名になった。

④　つい（　　　　　）が滑って、話してはいけないことを話してしまった。

Ⅲ. 実践練習 ≫

1. 次の言葉の使い方として最もよいものを、1・2・3・4から一つ選びなさい。（2点×3問）

1 つぐむ

   1 周囲がうるさいので、耳をつぐんでいた。

   2 赤ちゃんが口をつぐんだまま泣いている。

   3 目をつぐんで、音楽を聞いている。

   4 質問されるまで口をつぐんでいた。

2 さえる

   1 耳がさえていて、小さな音でもよく聞こえる。

   2 こんなにさえた気持ちは、初めてだ。

   3 夜中なのに目がさえていて、なかなか眠れない。

   4 料理の手がさえているので、何でも上手に作れる。

3 尽くす

   1 毎日、子供の世話を尽くすことは大変だが、楽しいことでもある。

   2 一生懸命、頭を尽くして考えたが、難しくてわからなかった。

   3 どんなことがあっても、最後まであきらめずに手を尽くすことが大切だ。

   4 30キロ走ったので、体力を尽くしてしまった。

2. ＿＿の言葉に意味が最も近いものを、1・2・3・4から一つ選びなさい。（1点×5問）

1 手に負えない問題が起きたら、両親に相談する。

   1 余る　　　　　　2 重い　　　　　　3 かかる　　　　4 抱える

2 恋人同士のけんかには、口を挟まないほうがいい。

   1 入れない　　　　2 出さない　　　　3 言わない　　　4 立てない

3 問題が起きたら、すぐに対応してください。

   1 腕を振るって　　2 手を打って　　　3 耳に挟んで　　4 目を回して

4 世界中で日本料理の店を見かけることが多くなった。

   1 目に掛ける　　　2 目にする　　　　3 目をつける　　4 目を引く

5 何度説明しても納得してくれないお客がいて、困っている。

   1 頭を下げて　　　2 手に乗って　　　3 手を引いて　　4 頭を抱えて

3. （　　）に入れるのに最もよいものを1・2・3・4から一つ選びなさい。(1点×14問)

1 あちこちに（　　）を回して、アルバイトを集めた。

　　1 手　　　　　　　2 首　　　　　　　3 頭　　　　　　　4 口

2 （　　）に挟んだうわさでは、どうも社長が替わるらしい。

　　1 口　　　　　　　2 頭　　　　　　　3 耳　　　　　　　4 目

3 助けを求めてきたときには、（　　）を差し伸べてあげたい。

　　1 腕　　　　　　　2 頭　　　　　　　3 肩　　　　　　　4 手

4 さすがにお客様は、お（　　）が高い。いつもよいものをお選びになりますね。

　　1 腕　　　　　　　2 口　　　　　　　3 鼻　　　　　　　4 目

5 会社の（　　）を持つわけではないが、会社側の説明にも納得できる点がある。

　　1 肩　　　　　　　2 腕　　　　　　　3 顔　　　　　　　4 手

6 海外進出から手を（　　）、国内の事業を固めたほうがいい。

　　1 切って　　　　　2 出して　　　　　3 引いて　　　　　4 広げて

7 高い音が隣の部屋からずっと聞こえてくるのが、耳に（　　）いらいらする。

　　1 かかって　　　　2 ついて　　　　　3 届いて　　　　　4 はさんで

8 夫は私には目も（　　）、本を読んでいる。

　　1 あげず　　　　　2 くれず　　　　　3 引かず　　　　　4 見ず

9 彼の自信たっぷりの態度が鼻に（　　）、好きになれない。

　　1 きいて　　　　　2 して　　　　　　3 ついて　　　　　4 のって

10 今度のお客さんは口が（　　）ので、料理の味にとても気を遣う。

　　1 合っている　　　2 きいている　　　3 肥えている　　　4 上がっている

11 先生の顔を（　　）、先生が紹介してくれた会社に面接に行った。

　　1 売って　　　　　2 立てて　　　　　3 見て　　　　　　4 使って

12 どんなに大変な状態でもいつも笑顔で人に接していて、本当に頭が（　　）。

　　1 抱える　　　　　2 上がる　　　　　3 冷やす　　　　　4 下がる

13 いつもクレームを言うお客さんに手を（　　）いる。

　　1 上げて　　　　　2 入れて　　　　　3 差し伸べて　　　4 焼いて

14 欲に目が（　　）と、正しい判断ができなくなる。

　　1 さえる　　　　　2 つく　　　　　　3 届く　　　　　　4 くらむ

Ⅰ. 言葉と例文 ≫

1 ウォーミングアップ

（　　）の中には、どんな言葉が入るでしょうか？……

A：「親友」とは、どんな友人のことを言いますか。

B：気が（　　　　　　　　　　）友人のことです。「親友」とは、（　　　　　　　　）を割って話せます。

2 言葉

腹	**〜をくくる** ［どのような結果でも受け止めることを決心する・覚悟する］ 自信がなくても、腹をくくってやるしかない。 **〜を読む** ［相手の考えを推測する］ どんな条件を出してくるのか、相手の腹を読む。 **〜を割る** ［本当の気持ちや考えを隠さずに話す］ お互いが腹を割って話さないと、真に理解し合うことはできない。
胸	**〜が詰まる** ［喜びや悲しみ、かわいそうに思う気持ちでいっぱいになる］ 今日でお別れかと思うと、胸が詰まった。 **〜を貸す／借りる** ［練習の相手をする／してもらう］ 試合前、先輩に胸を貸してもらい／借りて、何度も練習をした。 **〜を突く** ［はっとする、心に深く感じる］ 先生が私のことを心配して言った真剣な言葉が私の胸を突いた。
懐	**〜が暖かい／寒い** ［お金を持っている／持っているお金が少ない］ 昨日は給料日で懐が暖かかったので、仕事の後、みんなと飲みに行った。 **〜が深い** ［心が広く、包容力がある］ 社長は懐が深い人で、ライバル会社が倒産しそうなときに援助をした。
足	**〜が早い** ［腐りやすい］ 豆腐は足が早い食べ物なので、今日中に食べてください。 **〜が出る** ［予算よりも出費のほうが多くなる・赤字になる］ 予想よりもお金がかかって、足が出てしまった。 **〜を洗う** ［好ましくない行為をやめる］ 昔は悪いことをしていたが、今は足を洗って、真面目な生活をしている。

身 み	**〜を立てる** [ある職業や技術などを生計を立てる手段にする] 料理人として身を立てていきたい。 **〜を引く** [今までの立場や地位から離れる・引退する] 私よりも後輩のほうが適任だと思ったので、身を引いた。 **〜にしみる** [経験して深く心に感じる] 会社に就職して、自分の日本語力が足りないことが身にしみてわかった。
気 き	**〜が引ける** [相手に引け目があって、遠慮する] 前の借金をまだ返していないので、また借金を頼むのは気が引ける。 **〜が置けない** [遠慮したり、気を遣ったりしなくてもいい] 彼は幼稚園からずっと付き合っている、気が置けない友達だ。 **〜が晴れる** [心配や気になることがなくなって、気分がすっきりする] 言いたいことを言ったら、気が晴れた。 **〜に障る** [嫌な気持ちになる] 私の言い方が悪くて、気に障ったとしたら、すみません。 **〜に病む** [心配する・悩む] 失敗したことを気に病むよりも、これからどうするか考えたほうがいい。 **〜を利かせる** [相手の気持ちや立場に合わせて配慮する] 二人だけで話をしたそうだったので、気を利かせて部屋を出た。 **〜を抜く** [緊張していた状態から気持ちを緩める] これまで順調に進んでいるが、最後まで気を抜かないようにしよう。 **〜を紛らわす・紛らす** [気持ちをほかのことでごまかす] 結果が気になるのはわかりますが、散歩でもして気を紛らわしたらどうですか。 **〜を持たせる** [相手に期待させる] 付き合う気もないのに気を持たせるような態度を取るべきではない。
息 いき	**〜が詰まる** [緊張しすぎて、苦しくなる] 試験前で皆がピリピリしていて、教室にいると息が詰まる。 **〜を呑む** [驚いて一瞬息を止める] あまりの美しさに息を呑んだ。 **〜を引き取る** [死ぬ・亡くなる] 祖母は家族に見守られて、静かに息を引き取った。 **〜をつく** [緊張などから解放される・ほっとする] 息をつく暇もないくらい忙しい。

心（こころ）	～が通（かよ）う　[お互（たが）いに理解（りかい）し合（あ）う] 彼（かれ）とは性格（せいかく）も趣味（しゅみ）も違（ちが）うのに、なぜか心（こころ）の通（かよ）う友達（ともだち）になった。 ～を奪（うば）われる　[夢中（むちゅう）になる] ストーリーだけでなく映像（えいぞう）や音楽（おんがく）のすばらしさに心（こころ）を奪（うば）われた。 ～を砕（くだ）く　[いろいろと気（き）を遣（つか）う] 親（おや）は子供（こども）が幸（しあわ）せになるように心（こころ）を砕（くだ）いている。	
虫（むし）	～がいい　[自分（じぶん）の都合（つごう）だけを考（かんが）えること] 自分（じぶん）に都合（つごう）がいい条件（じょうけん）のときだけ引（ひ）き受（う）けるなんて、虫（むし）がいい。 ～が好（す）かない　[気（き）に入（い）らない・好（す）きになれない] どうもあの人（ひと）にはばかにされている気（き）がして、虫（むし）が好（す）かない。	
泥（どろ）	～をかぶる　[ほかの人（ひと）の責任（せきにん）を負（お）う・嫌（いや）な役目（やくめ）を引（ひ）き受（う）ける] 選挙違反（せんきょいはん）をした政治家（せいじか）を守（まも）るため、秘書（ひしょ）が泥（どろ）をかぶって逮捕（たいほ）された。 顔（かお）に～を塗（ぬ）る　[恥（はじ）をかかせる・面目（めんぼく）を失（うしな）わせる] 親（おや）の顔（かお）に泥（どろ）を塗（ぬ）るような行動（こうどう）をしてはいけない。	take the blame damage lose face
その他（た）	花（はな）が咲（さ）く　[盛（も）り上（あ）がる] 高校時代（こうこうじだい）の友人（ゆうじん）と話（はな）していると、昔話（むかしばなし）に花（はな）が咲（さ）く。 芽（め）が出（で）る　[努力（どりょく）して、成功（せいこう）しそうな様子（ようす）・気配（けはい）が見（み）える] 五年間（ごねんかん）、先生（せんせい）の下（もと）で演技（えんぎ）を学（まな）んでいたが、ようやく芽（め）が出（で）てきた。 根（ね）に持（も）つ　[自分（じぶん）に悪（わる）いことをされたことをずっと覚（おぼ）えている] 彼（かれ）は私（わたし）が十年前（じゅうねんまえ）に言（い）った悪口（わるくち）をまだ根（ね）に持（も）っている。 猫（ねこ）をかぶる　[実際（じっさい）の性格（せいかく）を隠（かく）して、おとなしく見（み）せる] 本当（ほんとう）はにぎやかな性格（せいかく）だが、今日（きょう）は猫（ねこ）をかぶっておとなしくしている。 尾（お）を引（ひ）く　[よくない結果（けっか）の影響（えいきょう）が続（つづ）く] 最初（さいしょ）の失敗（しっぱい）が尾（お）を引（ひ）いて、最後（さいご）まで自分（じぶん）の力（ちから）を出（だ）すことができなかった。 しっぽをつかむ　[悪（わる）いことをした証拠（しょうこ）などを見（み）つける] 捜査（そうさ）を続（つづ）けていた警察（けいさつ）は、ついに犯人（はんにん）のしっぽをつかんだ。	blame able to do find proof of wrongdoing

II. 基本練習 ≫

1 用法 使い方に気を付けよう。

下線の言葉の使い方が正しい文には○、間違っている文には×を（　）に入れなさい。

また、間違っている場合には、下線の言葉に代わる正しい言葉を書きなさい。

(例)　お互いに<u>腹を読んで</u>話せば、きっと理解し合える。　　　（ × ）<u>腹を割って</u>

(1)　<u>息を呑む</u>ほど迫力のある映像だった。　　　　　　　　　（　　）＿＿＿＿＿＿

(2)　試合のとき、相手チームの監督の<u>気を読む</u>ことも大切だ　（　　）＿＿＿＿＿＿

(3)　あまりに悲惨な映像に<u>心が詰まって</u>、何も言えない。　　（　　）＿＿＿＿＿＿

(4)　いつまでも失敗したことを<u>気に障る</u>ことはない。　　　　（　　）＿＿＿＿＿＿

(5)　病気の母が少しでも過ごしやすいように<u>心を砕いて</u>いる。（　　）＿＿＿＿＿＿

(6)　給料日前は<u>腹が寒い</u>ので、お弁当を作るようにしている。（　　）＿＿＿＿＿＿

(7)　子供を亡くした母親の悲しみに<u>胸を突かれた</u>。　　　　　（　　）＿＿＿＿＿＿

2 用法 使い方に気を付けよう。

▢▢▢の中から適当な言葉を選んで、（　　）に入れなさい。

(1)　| 心　足　懐　気 |

　① 試験が終わったが、次に面接があるので、まだ（　　　　　）を抜けない。

　② 祖父は（　　　　　）が深い人だったので、多くの人に慕われていた。

　③ あまりにすてきな笑顔に（　　　　　）を奪われた。

　④ 予算はこれ以上増やせないので、（　　　　　）が出ないようにしなければならない。

(2)　| 足　虫　息　身 |

　① はっきりした理由があるわけではないが、あの人は（　　　　　）が好かない。

　② ギャンブルから（　　　　　）を洗いたいが、どうしてもやめられない。

　③ 社会に出て、親が言っていたことの意味が（　　　　　）にしみて、わかった。

　④ 狭い部屋にいると（　　　　　）が詰まりそうだ。

(3)　| 花　根　尾　芽 |

　① ゲーム好きの友達と新しいゲームの話に（　　　　　）が咲く。

　② 彼女の歌を聞いたとき、将来必ず（　　　　　）が出て、有名になる人と思った。

　③ 不合格のショックが（　　　　　）を引いて、しばらく何もする気にならなかった。

　④ 彼女は私がみんなの前で注意したことを（　　　　　）に持っているらしい。

Ⅲ. 実践練習 ≫

1. 次の言葉の使い方として最もよいものを、1・2・3・4から一つ選びなさい。（2点×3問）

1 障る

    1　入り口に荷物があって足に障るので、片付けた。

    2　ずっと勉強してばかりだと頭に障るので、少しは休んだほうがいい。

    3　私の言葉が気に障ったのか、ずっと機嫌が悪い。

    4　食べ過ぎて、おなかに障ってしまった。

2 くくる

    1　将来のために懐をくくって、お金をためた。

    2　人と人の心をくくる仕事がしたい。

    3　しっかり考えをくくってから、話したほうがいい。

    4　自分一人でやるしかしないと、腹をくくった。

3 紛らわす

    1　失敗したところを見られたので、笑って心を紛らわした。

    2　結果が出るまでの間、冗談を言って気を紛らわしていた。

    3　うそをついて人を紛らわすのはよくない。

    4　悲しかったが、ずっと涙を紛らわしていた。

2. ＿＿の言葉に意味が最も近いものを、1・2・3・4から一つ選びなさい。（1点×5問）

1 何の担保もないのにお金を貸してもらおうなんて、虫がよすぎる。

    1　感じ　　　　　　2　都合　　　　　　3　具合　　　　　　4　気持ち

2 手術後、意識が戻ったが、一週間後に亡くなった。

    1　息を引き取った　2　息が切れた　　　3　息を止めた　　　4　息が抜けた

3 気の置けない友人たちで集まって、お酒を飲んだ。

    1　使う　　　　　　2　許せる　　　　　3　掛かる　　　　　4　利く

4 あなたのせいではないのだから、気に病むことはない。

    1　する　　　　　　2　なる　　　　　　3　とめる　　　　　4　入る

5 将来は、語学を生かして、自分の身を立てていきたい。

    1　計画　　　　　　2　予定　　　　　　3　活動　　　　　　4　生計

3.（　　）に入れるのに最もよいものを、1・2・3・4から一つ選びなさい。(1点×14問)

1 結局、私が責任者として（　　　）をかぶらなければならないだろう。

　　1　腹　　　　　　　2　猫　　　　　　　3　泥　　　　　　　4　身

2 とり肉はほかの肉よりも（　　　）が早いから、早く食べたほうがいい。

　　1　足　　　　　　　2　手　　　　　　　3　耳　　　　　　　4　口

3 犯人の（　　　）をつかもうと捜査している。

　　1　尾　　　　　　　2　頭　　　　　　　3　しっぽ　　　　　4　足

4 父は公の活動から（　　　）を引いて、ボランティアで活動している。

　　1　足　　　　　　　2　体　　　　　　　3　尾　　　　　　　4　身

5 相手の（　　　）を借りるつもりで、昨年の優勝チームに練習試合を申し込んだ。

　　1　腹　　　　　　　2　懐　　　　　　　3　胸　　　　　　　4　身

6 愛情を持って飼えば、動物とでも心が（　　　）。

　　1　引ける　　　　　2　通う　　　　　　3　広がる　　　　　4　置ける

7 以前迷惑をかけたので、またお願いするのは気が（　　　）。

　　1　すまない　　　　2　ひける　　　　　3　つかない　　　　4　つまる

8 この仕事が終われば、少し息が（　　　）。

　　1　はいる　　　　　2　つける　　　　　3　すえる　　　　　4　きれる

9 ずっと悩んでいたことを聞いてもらって、少し気が（　　　）。

　　1　引けた　　　　　2　押された　　　　3　疲れた　　　　　4　晴れた

10 事務の人が気を（　　　）、明日の資料を作るだけでなく、印刷までしてくれた。

　　1　利かせて　　　　2　配って　　　　　3　留めて　　　　　4　読んで

11 好きな人の前では猫を（　　　）しまう。

　　1　かぶって　　　　2　借りて　　　　　3　貸して　　　　　4　のせて

12 推薦してくれた先生の顔に泥を（　　　）ようにふるまおう。

　　1　つけない　　　　2　かぶらない　　　3　かけない　　　　4　ぬらない

13 大切なお客様に失礼がないように心を（　　　）。

　　1　通わせる　　　　2　利かせる　　　　3　刻む　　　　　　4　砕く

14 気を（　　　）、いつまでも返事をしないのは誠実ではない。

　　1　抜いて　　　　　2　見せて　　　　　3　持たせて　　　　4　引いて

Ⅰ. 言葉と例文　≫

1 ウォーミングアップ

どの先生が優しい？……

いたずらを（　見過ごす　見逃す　見抜く　）先生

2 言葉

---

1. 言い〜

① **言い返す**　［相手の言葉に対して、言われた側も負けないように言う］
　友達に悪口を言われたので、こっちも言い返してやった。

② **言い聞かせる**　［目下の人に、指示やアドバイスなどをきちんと納得できるように言う］
　電車で騒いではいけないと、子供によく言い聞かせた。

③ **言いつける**　［他人の悪い行いをそっと目上の人に話す／目下の人に用事を命じる］
　田中君がいたずらをしたので、先生に言いつけた。／上司にお客様の案内を言いつけられた。

④ **言い張る**　［自分の主張が通りにくい状況においても主張を曲げずに言い続ける］
　自分が間違っているくせに、彼は間違っていないと言い張っている。

---

2. 打ち〜

① **打ち明ける**　［告白する・それまで人に話さないでいたことをすっかり話す］
　誰にも言えなかった悩みを、親友に打ち明けることにした。

② **打ち切る**　［中止する・続いている物事を途中でやめる］
　Ａ社は先月レコードの生産を打ち切った。

③ **打ち込む**　［夢中になる］
　夫は、寝る暇もないくらい仕事に打ち込んでいる。

④ **打ち解ける**　［遠慮する気持ちや緊張などが薄れ、親しみを持つようになる］
　彼女は恥ずかしがり屋だから、なかなか人と打ち解けられない。

---

3. 追い〜

① **追い上げる**　［追いかけて相手との距離や差を縮める］
　前半は九位だったＡ選手だが、後半追い上げて、二位になった。

② **追い込む**　［相手をほかに選択肢のない苦しい状況に立たせる］
　大型スーパーの出現で、個人商店は次々と閉店に追い込まれた。

③ **追い詰める**　［相手を逃げるところがない状況にする］
　いじめを受けていた彼は、精神的に追い詰められ、自殺してしまった。

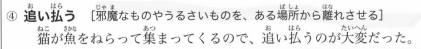

④ 追い払う [邪魔なものやうるさいものを、ある場所から離れさせる]
　　猫が魚をねらって集まってくるので、追い払うのが大変だった。

4. 押し～

① 押し掛ける [呼ばれていないのに相手の家などに遠慮せずに行く]
　　酔った彼は、友人の家に押し掛けて、無理やり泊めてもらったそうだ。
② 押し切る [反対されているのに強引にものごとを進める]
　　妹は両親の反対を押し切ってアメリカに留学した。
③ 押し付ける [無理に相手のものにしようとする]
　　失敗の責任を部下に押し付けるので、部長は皆に嫌われている。
④ 押し寄せる [波や大勢の人などが激しい勢いで近付く／疲れなどが一度に出る]
　　日本にも国際化の波が押し寄せている。／家に着いたとたん、どっと疲れが押し寄せた。

5. 使い～

① 使いこなす [性能、価値などが十分に発揮できるようにうまく使う]
　　このカメラは操作が複雑で、初心者には使いこなすことができない。
② 使い込む [自分のものではない金を勝手に使う]
　　課長は、会社の金を使い込んだのが知られ、首になってしまった。
③ 使い果たす [金や力などを完全に使ってしまう]
　　貯金をすべて使い果たしてしまったので、今は旅行などできない。
④ 使い分ける [相手や場合によって区別して使う]
　　話す相手や場面によって、言葉を使い分けなければならない。

6. 取り～

① 取り上げる [多くのものの中から取り出して問題にする／権力で相手のものを無理やり取る]
　　私の学校の文化祭が新聞に取り上げられた。／先生に漫画を取り上げられてしまった。
② 取り扱う [商品として販売したり、業務として行っていたりする]
　　当店では多数のパソコン関連商品を取り扱っております。
③ 取り返す [取られたものを再び自分のものにする／自分が損をしたり負けたりしないように、マイナスになった部分を埋める]
　　泥棒から金を取り返す。／試合前半で二点取られ、後半に一点取り返したが、結局負けた。
④ 取り掛かる [仕事や用事をやり始める]
　　明日から引っ越しの準備に取り掛からないと間に合わない。
⑤ 取り組む [全力で問題を処理したり解決したりしようとする]
　　A社は二十年以上前から新エネルギーの開発に取り組んでいる。

⑥ **取り締まる** [法律や規則などに違反をしないように、監視したり、罰したりする]
　警察は駐車違反をもっと厳しく取り締まるべきだ。

⑦ **取り調べる** [警察が犯罪の容疑者をいろいろ調べる]
　警察は現在ある男を取り調べている。

⑧ **取り立てる** [受け取るべき金を強制的に取る]
　怖そうな人が借金を取り立てに来た。
　取り立てて～ [特に] 取り立てて特徴のない店。

⑨ **取り次ぐ** [両者の間に立って、ものごとを一方から他方に伝えたり受け渡したりする]
　受付の人が電話に出て、担当者に取り次いでくれた。

⑩ **取り巻く** [大勢の人が周りを囲む／周囲に存在する]
　彼はいつも大勢のファンに取り巻かれている。／子供たちを取り巻く環境は大きく変わった。

⑪ **取り乱す** [突然の不幸な出来事に、心の落ち着きを失ってしまう]
　子供の事故死を知らされて、母親はすっかり取り乱してしまった。

⑫ **取り戻す** [取られたものを再び自分のものにする／以前の正常なよい状態に戻る]
　奪われた財布を取り戻す。／台風の被害を受けたこの町も、落ち着きを取り戻しつつある。

⑬ **取り寄せる** [品物などを注文して届けさせる]
　大学や専門学校の資料をインターネットで取り寄せた。

7. 引き～

① **引き上げる** [水準・価格・比率を高くする]
　政府は消費税を15％まで引き上げることを検討している。

② **引き落とす** [金融機関が支払いに必要な金額を口座から差し引く]
　ご利用料金は、お客様の預金口座より自動で引き落としいたします。

③ **引き込む** [強い力で人を夢中にさせる]
　この本は面白くて、どんどん物語に引き込まれてしまった。

④ **引き下がる** [自分の主張・要求を通そうとするのをやめる]
　この主張が通るまでは、私は絶対に引き下がらないつもりだ。

⑤ **引き立つ** [ある条件が加わって、一段とよさが感じられるようになる]
　このお菓子は温めると甘さが引き立つ。

⑥ **引き締める** [緊張感を持つ]
　試験が近いから、気を引き締めて頑張ろう。

⑦ **引きずる** [地面や床から離れないように引いて動かす／過去の嫌な出来事を気にする]
　けがをした足を引きずって歩く。／彼は辛い過去を今も引きずっている。

8. 見～

① **見合う**　[収入、価格、能力、条件、規模などに合っている]

ぜいたくをしないで、収入に見合った生活をしよう。／予算に見合った部屋を探す。

② **見合わせる**　[実行するのをしばらくの間控えて様子を見る]

大雨で電車は運転を見合わせている。

③ **見落とす**　[見ているのに、不注意で、気付くべき大事な点に気付かず過ぎてしまう]

テストの採点で、いくつか間違いを見落としてしまった。

④ **見極める**　[ものごとの本質や状況などをしっかりと正しく理解して判断する]

投資は、経済状況をしっかり見極めないと失敗してしまう。

⑤ **見込む**　[予想する]

自動車メーカーのＡ社は、今後二年間で二千台の販売を見込んでいる。

⑥ **見過ごす**　[見ていても、それを重要だとは考えず、気にしないでそのままにする]

私たちは日常の中の小さな問題を見過ごしてしまいがちだ。／

こんなに悪質ないたずらを見過ごすわけにはいかない。

⑦ **見計らう**　[それをするのにちょうどいい時間を推測する]

待ち合わせの時間に間に合うように、時間を見計らって家を出る。

⑧ **見抜く**　[表面に表れていないものごとの本質・真偽がわかる]

母親は、幼いころから息子の音楽の才能を見抜いていた。

⑨ **見逃す**　[見る機会があったのに、見たいものや見るべきものが見られずに終わる／不正な行為を見て、それ

が問題だと気付いていながら、対処をしないで済ます]

楽しみにしていたテレビ番組を、うっかり見逃してしまった。／

本来カンニングをした人は０点にすべきだが、今回だけは見逃してやろう。

Ⅱ. 基本練習 ≫

1 連語　一緒に使う言葉を覚えよう。

例のように一緒に使う言葉を線で結びなさい。

(1) 悩み・秘密・思い・愛・気持ち・　　　　　　・を見合わせる

機械・道具・機能・英語　　　　　　　　・を見極める

責任・考え・負担・仕事　・　　　　　　・を使いこなす

運転・参加・購入・開催　・　　　　　　・を押し付ける

状況・本質・能力・価値　・　　　　　　・を打ち明ける

(2) 力・金・運・資源・燃料　・　　　　　　・を見計らう

波・人・客・不安・疲れ　・　　　　　　・を押し切る

味・色・魅力・個性・作品　・　　　　　・を使い果たす

タイミング・時間・時期　・　　　　　　・が引き立つ

反対・抵抗・(反対の)意見　・　　　　　・が押し寄せる

2 類義　意味や使い方の違いに気を付けよう。

◯◯◯◯の中から適当な言葉を選び、必要なら形を変えて（　　）に入れなさい。

(1)　|　見過ごす　　見落とす　　見逃す　|

① 映画を見ているときに友達に話しかけられ、いい場面を（　　　　　）しまった。

② チェックリストに従って作業を行っていたのだが、項目を一つ（　　　　　）いた。

③ 自然環境を改善するには、ごみ問題を黙って（　　　　　）わけにはいかない。

(2)　|　取り扱う　　取り上げる　　取り組む　|

① この不動産屋は東京都内の物件しか（　　　　　）いない。

② 政府は全力を挙げて少子化対策に（　　　　　）いるが、解決策は見つからない。

③ この事件は有名人がかかわっていたため、頻繁に新聞に（　　　　　）いる。

(3)　|　追い詰める　　追い込む　　追い払う　|

① 犬が庭に入ってきたので、弟に（　　　　　）もらった。

② 欠陥製品による事故の責任を追及され、役員は全員、辞職に（　　　　　）。

③ 警察に（　　　　　）容疑者は、線路へ飛び込み、自殺をはかった。

(4)　|　引き落とす　　引き上げる　　引き下がる　|

① 1997年、消費税の税率が3%から5%に（　　　　　）。

② 彼は気が弱いから、相手に強く言われるとすぐに（　　　　　）しまう。

③ 家賃は月末に銀行の口座から（　　　　　）ことになっている。

3 意味　意味を確認しよう。

次の二つの文のうち、下線の言葉の使い方が正しいほうを選び、（　）に○を入れなさい。

(1) a　意味がわからない言葉があったので、辞書で<u>取り調べた</u>。　　　　（　　）

　　 b　警察に<u>取り調べられた</u>犯人は、あっさり容疑を認めた。　　　　（　　）

(2) a　娘が父親に、「どこか遊びに連れて行ってくれ」と<u>言い聞かせた</u>。　（　　）

　　 b　「夜遅く外出してはいけない」と父親は娘に<u>言い聞かせた</u>。　　　（　　）

(3) a　強盗に「金を出せ」と<u>取り立てられた</u>。　　　　　　　　　　　　（　　）

　　 b　税金を払わないと、税務署に厳しく<u>取り立てられる</u>。　　　　　　（　　）

(4) a　先輩は、皆から集めた旅行代を<u>使い込んでいた</u>。　　　　　　　　（　　）

　　 b　先輩は会社のコピー機を勝手に<u>使い込んでいる</u>。　　　　　　　　（　　）

(5) a　自分の能力に<u>見合った</u>仕事がしたい。　　　　　　　　　　　　　（　　）

　　 b　その眼鏡、あなたによく<u>見合ってますね</u>。　　　　　　　　　　　（　　）

(6) a　田中君が学校のルールを守らないので、先生に<u>言いつけた</u>。　　　（　　）

　　 b　田中君が親切にしてくれたので、先生に<u>言いつけた</u>。　　　　　　（　　）

(7) a　大きな荷物を<u>引きずって</u>部屋まで運んだ。　　　　　　　　　　　（　　）

　　 b　アイススケートは、氷の上を<u>引きずる</u>スポーツだ。　　　　　　　（　　）

(8) a　わざわざ私の家まで<u>押し掛けて</u>くださってありがとうございます。（　　）

　　 b　こんな夜遅くに<u>押し掛けたら</u>、相手のお宅にご迷惑ですよ。　　（　　）

4 語形成　形を覚えよう。

[　　　]の中から適当な言葉を選び、必要なら形を変えて（　）の中に入れなさい。

(1) 失敗は許されないから、気を引き（　　　　　　）行こう。

(2) どんなに上手にうそをついても、母には見（　　　　　　）しまう。

(3) 全員集まったら、すぐに準備に取り（　　　　　　）ましょう。

(4) 水道の修理のために部品を取り（　　　　　　）もらった。

(5) 彼は間違っているのに、まだ正しいと言い（　　　　　　）いる。

(6) 自分の能力に見（　　　　　　）目標を立てよう。

| 合う |
| 掛かる |
| 締める |
| 抜く |
| 張る |
| 寄せる |

1. （　　　）に入れるのに最もよいものを、1・2・3・4から一つ選びなさい。(1点×13問)

1 この服は三万円もするのに質が悪くて、全然値段に（　　　）いない。

　　1 見合って　　　　　2 引き立って　　　　3 心掛けて　　　　　4 取り扱って

2 三か月家賃を払っていないので、そろそろ大家さんが（　　　）に来るだろう。

　　1 取り調べ　　　　　2 取り立て　　　　　3 取り次ぎ　　　　　4 取り締まり

3 店長、今回だけは（　　　）ください。これからは絶対に失敗しませんから。

　　1 見抜いて　　　　　2 見込んで　　　　　3 見逃して　　　　　4 見落として

4 借金に苦しんでいた彼は、会社の売り上げの一部を（　　　）しまった。

　　1 使い果たして　　　2 使い分けて　　　　3 使いこなして　　　4 使い込んで

5 欲しい靴が売り切れていたが、店員さんが本店から（　　　）くれるそうだ。

　　1 取り扱って　　　　2 取り寄せて　　　　3 引き出して　　　　4 引き立てて

6 酔っ払いが家の周りで騒いでいたので、警察に（　　　）もらった。

　　1 追い払って　　　　2 押し切って　　　　3 立ち向かって　　　4 引き締めて

7 問題の本質を（　　　）なければ、解決できるはずがない。

　　1 突き進ま　　　　　2 打ち明け　　　　　3 手掛け　　　　　　4 見極め

8 企業を（　　　）環境の変化に、経営が対応しきれていない。

　　1 押し寄せる　　　　2 取り巻く　　　　　3 引きずる　　　　　4 突き抜ける

9 健康を（　　　）ためなら、どんな治療でも受ける覚悟だ。

　　1 取り立てる　　　　2 取り乱す　　　　　3 取り戻す　　　　　4 取り組む

10 日本の伝統文化にも時代の波が（　　　）、変化を余儀なくされている。

　　1 にじみ出し　　　　2 引き込み　　　　　3 こみ上げ　　　　　4 押し寄せ

11 日本チームは、試合の後半に（　　　）が、結局時間切れで負けてしまった。

　　1 追い上げた　　　　2 追い込んだ　　　　3 追い払った　　　　4 追い詰めた

12 警察は、以前にも増して、厳しく飲酒運転を（　　　）いる。

　　1 取り立てて　　　　2 取り付けて　　　　3 取り組んで　　　　4 取り締まって

13 若いころは仕事に（　　　）いたが、今はそうでもない。

　　1 溶け込んで　　　　2 染み込んで　　　　3 見込んで　　　　　4 打ち込んで

2. ＿＿の言葉に意味が最も近いものを、1・2・3・4から一つ選びなさい。（2点×3問）

1 取り掛かるのが遅かったから、レポートの締め切りには間に合いそうもない。

　　1　始める　　　　　2　知る　　　　　　3　進める　　　　4　頼む

2 この計画については、取り立てて相談する必要はないでしょう。

　　1　絶対に　　　　　2　特に　　　　　　3　おそらく　　　4　前もって

3 この番組は、今月末に打ち切ります。

　　1　中止します　　　2　放送します　　　3　完成します　　4　開始します

3. 次の言葉の使い方として最もよいものを、1・2・3・4から一つ選びなさい。（2点×3問）

1 押し掛ける

　　1　昔の上司が、私の結婚祝いにわざわざ家まで押し掛けてくださった。

　　2　関係のない他人に責任を押し掛けるなんて、絶対にしてはいけない。

　　3　お忙しいところを、大勢で押し掛けてきてすみませんでした。

　　4　周囲の反対を押し掛けて、彼は試合に出場した。

2 打ち解ける

　　1　息子は、初めて会った人とでも、すぐに打ち解けて仲良くなれる。

　　2　ずっと秘密にしていたことを、両親に打ち解けることにした。

　　3　彼は機械に強いから、新しいカメラもすぐに打ち解けてしまう。

　　4　今、彼が打ち解けている研究は、生物の進化に関するものらしい。

3 言いつける

　　1　友達に服が変だと言われたので、「お前は髪型が変だ」と言いつけた。

　　2　妹は私がちょっと怒っただけで、すぐ母に言いつける。

　　3　彼は「自分のせいじゃない」と言いつけているが、明らかに彼のせいだ。

　　4　田中君がいいことをしたので、先生に言いつけた。

Ⅰ. 言葉と例文 ≫

1 ウォーミングアップ

電車に乗るとき、してはいけないのは？……

（　突っ込み　忍び込み　駆け込み　）乗車

2 言葉

1.　〜合う

① **かみ合う**　[論点や意見がぴったり合って、議論や会話がスムーズに進む]
　　どうも話がかみ合わないと思ったら、題名は同じでも違う映画の話だった。

② **釣り合う**　[比較する二つのものが同程度で調和が取れる]
　　僕のような平凡な男は、彼女のような美人とは釣り合わないと思う。

③ **張り合う**　[互いに負けないよう競争し合う]
　　中小企業が大手企業と張り合っても勝てるわけがない。

2.　〜込む

① **駆け込む**　[走って中に入る]
　　息子が急に高熱を出したので、慌てて近くの病院に駆け込んだ。

② **食い込む**　[内部に深く入り込む／ものごとが時間内に終わらずにほかの時間を奪う]
　　猫が必死で私につかまろうとするので、つめが肩に食い込んで痛かった。／
　　会議が長引いて、昼休みに食い込んでしまった。

③ **忍び込む**　[見つからないようにこっそり入る]
　　泥棒は、家の人が寝ている間に忍び込んで、現金を盗んでいった。

④ **付け込む**　[何かをするために相手のミスや弱みを利用する]
　　人の弱みに付け込んで高い薬を売りつけるなんて、ひどい商売だ。

⑤ **突っ込む**　[勢いよく中に入れる／入る]
　　急いでバッグに荷物を突っ込んだ。／トラックがコンビニに突っ込んだ。／
　　自分に関係ないことにあまり首を突っ込まないほうがいい。

⑥ **溶け込む**　[ある集団の中に入った人が、その集団と一体化する]
　　来日三十年目の彼は、今や、すっかり日本社会に溶け込んでいる。

⑦ **呑み込む**　[理解する]
　　なぜ彼が怒るのか、よく事情が呑み込めない。
　　〜の波に呑み込まれる　[社会の変化の影響でよくない状態になる]
　　時代の波に呑み込まれ、伝統文化が失われつつある。

⑧ **踏み込む** ［通常入らないような場所に入る／ものごとの深いところまで考える］

危険な場所には足を踏み込まないように。／

表面的なことだけでなく、もう一歩踏み込んだ話し合いが必要だ。

⑨ **放り込む** ［投げるようにして中に入れる］

脱いだ服を洗濯機に放り込んだ。

⑩ **巻き込む** ［そのことにもともとは関係のない人をかかわらせる］

テロに巻き込まれて大勢の一般市民が亡くなった。

⑪ **割り込む** ［人の列やほかの人の話に強引に入る］

バス停で並んで待っていたら、若者が列に割り込んできた。

3. 〜渡る

① **行き渡る** ［ものや連絡が全員に届く］

問題用紙が全員に行き渡ったのを確認してから、試験を開始してください。

② **晴れ渡る** ［雲がまったくないくらいよく晴れる］

雲一つない晴れ渡った空を眺めていた。

③ **響き渡る** ［声や音がずっと遠くまで響く］

トランペットの音が会場に響き渡った。

4. 〜立てる

① **飾り立てる** ［人目を引くように派手に飾る］

彼女はパーティー会場を風船や色紙で飾り立てた。

② **騒ぎ立てる** ［大げさに問題にしてうるさく言う］

彼女は、ちょっとしたことでも大問題のように騒ぎ立てる。

③ **責め立てる** ［相手の失敗などを激しく責める］

借金を返済しろと責め立てられて、苦しい毎日だ。

5. 〜出す

① **切り出す** ［前もって話そうと考えていた話題を話し出す］

離婚したいのだが、夫にどうやって話を切り出せばいいか悩んでいる。

② **投げ出す** ［やりかけていたことを途中であきらめてやめる］

いくら辛くても、途中で仕事を投げ出してはいけない。

③ **逃げ出す** ［ある場所から逃げて離れる］

動物園から猿が逃げ出して、大騒ぎになった。

④ **抜け出す** ［人に気付かれないように外へ出る］

夜中に家を抜け出して、彼とドライブに行った。

⑤ **乗り出す** [体の上半分を出す／状況を見て自らもそれにかかわろうと何かし始める]

電車の窓から身を乗り出して手を振る。／問題が深刻化し、政府が調査に乗り出した。

⑥ **はみ出す** [中に入っているべきものの一部が外に出る]

字が大きすぎて、枠からはみ出している。

6. ～止める

① **食い止める** [よくないことがそれ以上進まないように止める]

この薬を飲めば、病気の進行を食い止めることができるらしい。

② **突き止める** [事実や原因などを徹底的に調べて明らかにする]

いろいろ調べて、やっと故障の原因を突き止めた。

7. ～替える

① **立て替える** [少しの間、その人の代わりに金を支払う]

財布を忘れてきたので、昼食代を友達に立て替えてもらった。

② **切り替える** [今までのやり方、気持、考え方などをやめて、ほかのものにする]

来年度から新しい管理システムに切り替えることになった。／
試験に落ちたのは残念だが、気持ちを切り替えて、また頑張ろう。

8. ～直る

① **立ち直る** [悪い状態から元のよい状態に戻る]

彼はもう失恋のショックからすっかり立ち直ったようだ。

② **開き直る** [落ち込んだり困ったりするはずの状況で、急に平然とした態度に変わる]

仕事でミスをした後輩に説教をしていたら、途中から、「あんなの僕にできるわけがないじゃ
ないですか」と開き直られてしまった。

9. その他

① **行き詰まる** [ものごとがうまく進まず、どうにもできなくなる]

A社は不況で経営に行き詰まってしまった。

② **折り返す** [来た方向に戻る／時間がたたないうちに、電話や手紙などの返事をする]

この電車は次の駅まで行って、そこで折り返す。／友人から折り返して、手紙が届いた。

③ **食い違う** [一致するはずの意見、話、考えが一致しない]

彼の証言はほかの人の証言と食い違っている。

④ **差し支える** [邪魔になったり問題になったりして都合の悪い状態になる]

きちんと寝ておかないと、翌日の仕事に差し支える。

⑤ **たどり着く** [苦労してやっと着く]

すぐ着くはずなのに道に迷ってしまい、三時間も掛かってやっと目的地にたどり着いた。

⑥ **乗り切る** [困難な状況が終わるまで何とか無事に過ごす]

カレーを食べて夏の暑さを乗り切ろう。

⑦ **働きかける** [組織や人々が自分の要求や提案を受け入れるように行動する]

この動物愛護団体は、二年にわたり、行政に法律の改正を働きかけてきた。

⑧ **申し出る** [自分の意志や意見や希望などを、管理する立場の人に伝える]

転職先が決まったので、会社に退職を申し出た。

⑨ **持て余す** [時間や金、力が必要以上にあって、どう使えばいいか困る]

暇を持て余していたので、公園をぶらぶらしてきた。

⑩ **やり遂げる** [苦労して最後まで完全にやる]

彼は何度も研究をあきらめかけたが、とうとう最後までやり遂げた。

⑪ **寄りかかる** [何かに体を寄せて体を支える／自力でやろうとせず、他人の力を頼る]

男の人が、ビルの壁に寄りかかってたばこを吸っていた。／

いつまでも親に寄りかかっていてはいけない。

⑫ **割り当てる** [ものや仕事などの全体をいくつかに分けて、それぞれ人に与える]

先生はクラス全員に平等に仕事を割り当てた。

II．基本練習 ≫

1 連語　　一緒に使う言葉を覚えよう。

例のように一緒に使う言葉を線で結びなさい。

(1) 被害・進行・減少・破壊　・　　　　・が食い違う

　　仕事・勉強・業務　　　　　　　　・を持て余す

　　原因・正体・居場所・犯人・　　　・を突き止める

　　証言・話・意見・内容　　・　　　・に差し支える

　　時間・能力・力・金　　　・　　　・を食い止める

(2) 弱み・ミス　　・　　　・から立ち直る

　　列・席・話　　・　　　・を切り出す

　　ショック・不況・　　　・に割り込む

　　費用・代金　　・　　　・を立て替える

　　話・別れ　　　・　　　・に付け込む

2 意味　　意味の違いに気を付けよう。

□□□□の中から適当な言葉を選び、必要なら形を変えて（　　）に入れなさい。

(1) | 食い違う　　かみ合う　　切り出す |

　① 彼女の話は、ほかの人から聞いた内容と（　　　　　）いる。

　② 世代が違いすぎて、まったく話が（　　　　　）。

　③ 別れを（　　　　　）のは私だったが、彼もそれを望んでいたはずだ。

(2) | 付け込む　　突っ込む　　食い込む |

　① 手にロープが（　　　　　）ほど荷物が重い。

　② 相手の無知に（　　　　　）、大金をだまし取った。

　③ 箱に手を（　　　　　）、カードを一枚引いた。

(3) | 呑み込む　　巻き込む　　溶け込む |

　① 転校してきたばかりなので、彼女はクラスにまだ（　　　　　）いない。

　② 私は関係ないので、この問題に（　　　　　）でほしい。

　③ こつさえ（　　　　　）ば、この仕事は簡単だ。

(4) | 切り替える　　立て替える　　折り返す |

　① マラソンコースは、中間地点のここで（　　　　　）。

　② お酒でも飲んで、気分を（　　　　　）らどうですか。

　③ お金が足りなかったので、ホテル代は友人が（　　　　　）くれた。

(5) | 立ち直る　　開き直る　　乗り切る |

① みんなで協力すれば、なんとかこの不況を（　　　　　　）ことができるだろう。

② 彼はまだ失恋のショックから（　　　　　　）みたいだ。

③「金を返せ」と言うと、「金のない俺に金を貸すほうが悪い」と彼は（　　　　　　）。

3 意味　意味を確認しよう。

次の二つの文のうち、下線の言葉の使い方が正しいほうを選び、（　）に○を入れなさい。

(1)　a　私の家は、駅から歩いて三分ほどで<u>たどり着く</u>。　　　　　　　　（　　）

　　　b　一時間以上も歩いて、ようやく駅に<u>たどり着いた</u>。　　　　　　（　　）

(2)　a　友達に書いた手紙が、昨日<u>行き渡った</u>みたいだ。　　　　　　　　（　　）

　　　b　料理は全員に<u>行き渡り</u>ましたか。　　　　　　　　　　　　　　（　　）

(3)　a　負けそうだからといって、途中で試合を<u>投げ出す</u>な。　　　　　　（　　）

　　　b　彼は試合を始める前から「勝てるわけがない」と<u>投げ出している</u>。（　　）

(4)　a　彼は出世するために必死で今の仕事に<u>働きかけて</u>きた。　　　　　（　　）

　　　b　市に<u>働きかけて</u>、図書館を建て直した。　　　　　　　　　　　（　　）

(5)　a　試合中に具合が悪くなったら、係員に<u>申し出て</u>ください。　　　　（　　）

　　　b　先生は学生たちに来週は試験があることを<u>申し出た</u>。　　　　　（　　）

4 語形成　形を覚えよう。

⬜の中から適当な言葉を選び、必要なら形を変えて（　）の中に入れなさい。

(1)　中級になって、日本語の勉強に行き（　　　　　　）しまった。

(2)　布団から足がはみ（　　　　　　）いる。

(3)　工事の音が授業に差し（　　　　　　）と困る。

(4)　妹は何でも私と張り（　　　　　　）とする。

(5)　閉店直前にお客さんが駆け（　　　　　　）きた。

(6)　先生の大きな声が運動場に響き（　　　　　　）いる。

(7)　必要以上に騒ぎ（　　　　　　）、問題を大きくしないでほしい。

(8)　あちこち探しまわって、やっと彼女の居場所を突き（　　　　　　）。

| 合う |
| 込む |
| 支える |
| 出す |
| 立てる |
| 詰まる |
| 止める |
| 渡る |

1. （　　）に入れるのに最もよいものを、1・2・3・4から一つ選びなさい。(1点×13問)

1 美人で仕事もできる田中さんに（　　　）ような男はいないだろう。

　　1　重なり合う　　　　2　競い合う　　　　　3　釣り合う　　　　4　かみ合う

2 今日はよく（　　　）きれいな青空だ。

　　1　晴れ渡った　　　　2　打ち明けた　　　　3　開き直った　　　　4　はみ出した

3 受験勉強に（　　　）といけないので、アルバイトを辞めることにした。

　　1　持て余す　　　　　2　切り出す　　　　　3　折り返す　　　　　4　差し支える

4 彼は趣味も考え方も違うから、話がなかなか（　　　）。

　　1　食い違わない　　2　切り出さない　　3　かみ合わない　　4　張り合わない

5 試験に落ちたショックからやっと（　　　）。

　　1　切り出せた　　　2　立て替えられた　3　立ち直れた　　　　4　乗り出せた

6 授業が終わらず、休み時間に（　　　）しまった。

　　1　吸い取って　　　2　巻き込んで　　　3　食い込んで　　　4　食い違って

7 今私が先生と話しているんだから、（　　　）くれる？

　　1　はみ出さないで　2　割り込まないで　3　切り出さないで　4　途切れないで

8 試合に負けたのは彼のせいだと、みんなは彼を（　　　）。

　　1　乗り出した　　　2　責め立てた　　　3　くみ取った　　　4　付け込んだ

9 昨日友人が（　　　）くれた食事代を忘れずに返さなければ。

　　1　立て替えて　　　2　釣り合って　　　3　のみ込んで　　　4　持て余して

10 弟は「頭が悪くても生きていける」と（　　　）、全く勉強しようとしない。

　　1　開き直って　　　2　心掛けて　　　3　抜け出して　　　4　放り込んで

11 学生は、各自、自分に（　　　）ロッカーを使用してください。

　　1　持て余した　　　2　ふき取られた　　3　開き直った　　　4　割り当てられた

12 壁に（　　　）で、姿勢よく立ってください。

　　1　立ち寄らない　　2　差し支えない　　3　寄りかからない　4　たどり着かない

13 白い線から（　　　）ように駐車してください。

　　1　乗り出さない　　2　はみ出さない　　3　抜け出さない　　4　逃げ出さない

2. ＿＿の言葉に意味が最も近いものを、1・2・3・4から一つ選びなさい。(2点×3問)

[1] ちょっと事情が複雑なので、呑み込むのに時間が掛かる。

 1 説明する   2 理解する   3 探る   4 聞き出す

[2] 失敗したら、まずは失敗の原因を突き止めよう。

 1 除こう   2 なくそう   3 見つけよう   4 謝ろう

[3] いくら大変でも、この仕事を投げ出すわけにはいかない。

 1 断る   2 途中でやめる   3 急いでやる   4 人に頼む

3. 次の言葉の使い方として最もよいものを、1・2・3・4から一つ選びなさい。(2点×3問)

[1] 付け込む

 1 ポケットに手を付け込んだまま先生と話すのは失礼だ。

 2 彼はどんなことでも首を付け込みたがる。

 3 健康診断に時間が掛かり、授業に付け込んでしまった。

 4 彼はすぐに人の弱みに付け込もうとする。

[2] 行き渡る

 1 私は学生時代にアジア中行き渡りました。

 2 あと十枚コピーしないと全員に行き渡らない。

 3 この橋を行き渡れば両親の住む町だ。

 4 両親に郵便で送ったプレゼントが、今日行き渡ったそうだ。

[3] 巻き込む

 1 子供を夫婦げんかに巻き込むのはよくない。

 2 彼は仕事の要領をよく巻き込んでいる。

 3 まだ引っ越しして二か月なのに、すっかりここの生活に巻き込んでいる。

 4 みんなちゃんと並んで待っているので、列に巻き込まないでください。

Ⅰ. 言葉と例文 ≫

1 ウォーミングアップ

（　）に漢字を一字入れるとしたら？……

若い女性の結婚（　）について調査した。

2 言葉

1. 漢語の接尾辞		
組織・集まり	～団	応援団・記者団・消防団・○○バレエ団・合唱団
	～派	少数派・多数派・反対派・実力派・演技派・**保守派**・**正統派**
	～隊	警官隊・救急隊・消防隊・登山隊・**探検隊**
	～系	アジア系・**理工系**・**文系**・**外資系**／太陽系・神経系・**生態系**
	～類	機械類・アクセサリー類・下着類・食器類・**アルコール類**
	～網	通信網・交通網・道路網・放送網・連絡網・情報網・鉄道網
分野・範囲	～界	芸能界・経済界・映画界・サッカー界・自然界
	～帯	時間帯・火山帯・気候帯・価格帯
	～圏	首都圏・北極圏・支配圏・英語圏・**大気圏**・**勢力圏**・**暴風圏**
	～層	ファン層・読者層・年齢層・**中高年層**・**若年層**・**貧困層**
	～面	健康面・安全面・精神面・経済面・マイナス面・プラス面
思考・欲求・感覚	～視	疑問視・問題視・重要視・ライバル視・客観視・特別視
	～観	価値観・人生観・世界観・宇宙観・結婚観・職業観
	～欲	支配欲・金銭欲・出世欲・**独占欲**
	～味	現実味・人間味・真実味・新鮮味・**人情味**
状況・状態	～下	管理下・支配下・**占領下**・**戦時下**
	～難	就職難・経営難・資金難
	～状	クリーム状・粉状・帯状・ひも状・リング状・**パウダー状**
	～大	一口大・実物大・はがき大・名刺大
その他	～策	解決策・対応策・防止策・改善策・具体策・**支援策**
	～権	所有権・決定権・選挙権・**永住権**・**著作権**・**主導権**
	～性	心配性・貧乏性・苦労性・飽き性・冷え性・**照れ性**
	～源	情報源・発生源・エネルギー源・資金源・**収入源**・**供給源**

2. 漢語の接頭辞

誤〜	誤作動・誤情報・誤使用・誤発注・**誤送信**
当〜	当ホテル・当大学・当問題・当情報・当ホームページ・当商品・当地区
猛〜	猛反対・猛練習・猛スピード・猛攻撃・猛吹雪・猛特訓
純〜	純和風・純国産・純文学
原〜	原材料・原住民
私〜	私生活・私小説
▶その他	養父母・直輸入・定位置・乱開発・密輸入・活火山・試運転・深呼吸・微調整 過保護・即戦力・双方向・広範囲・真犯人・生真面目・有意義・省エネ

3. 和語の接頭辞・接尾辞

素〜	素足・素手・素肌・素顔／素早い 強力な薬品は素手で扱わないように。／状況を見て素早く判断する。
丸〜	丸二年・丸一日／丸暗記・丸覚え・丸写し・丸見え・丸焼き・丸出し・丸洗い ブラジルに行くのに丸一日掛かる。／彼のレポートは参考書の丸写しだ。
〜目	分かれ目・変わり目・割れ目・結び目・切れ目・**継ぎ目** 季節の変わり目は風邪を引きやすいので気を付けましょう。
〜柄	土地柄・場所柄・仕事柄・季節柄／人柄・家柄・間柄・大柄・小柄 私は仕事柄、よく外国に行く。／彼は人柄がいい。／小柄な人。
〜盛り	食べ盛り・働き盛り・育ち盛り・伸び盛り・いたずら盛り・男盛り・花盛り 食べ盛りの子供が三人もいるので、食事の準備が大変だ。
〜並み	町並み・山並み・家並み・毛並み／人並み・小学生並み・プロ並み／月並み この町は今も昔の町並みが残っている。／彼のゴルフの腕はプロ並みだ。
〜越し	窓越し・ガラス越し・壁越し・肩越し・カウンター越し・カーテン越し 窓ガラス越しに太陽の光が差し込んでくる。
〜任せ	力任せ・運任せ・人任せ 重要なことは人任せにせずに自分でやろう。
〜心地	居心地・寝心地・座り心地・乗り心地 あの店は、込んでいないし、店員の対応もいいし、とても居心地がいい。
〜がい	生きがい・働きがい・やりがい いくら働いても、給料も上がらず、昇進もないので、働きがいがない。
〜ぐるみ	家族ぐるみ・地域ぐるみ・町ぐるみ 地域ぐるみで子供を育てようという取り組みが、各地で始まっている。

Ⅱ. 基本練習 ≫

1 語形成　　言葉を覚えよう。

次の言葉に共通して使われる接尾辞・接頭辞を　　　から選び、（　）に入れなさい。

(1) | 網　層　圏　系　帯　派 |

① 正統・実力・反対・保守（　　）　　② 生態・太陽・神経・外資（　　）

③ 時間・火山・気候・価格（　　）　　④ 通信・交通・連絡・放送（　　）

⑤ 首都・英語・勢力・支配（　　）　　⑥ 若年・年齢・読者・貧困（　　）

(2) | 源　観　味　視　策　欲 |

① 人生・世界・結婚・職業（　　）　　② 独占・支配・出世・金銭（　　）

③ 現実・人間・真実・新鮮（　　）　　④ 解決・支援・防止・改善（　　）

⑤ 問題・疑問・重要・特別（　　）　　⑥ 情報・収入・資金・発生（　　）

(3) | 原　誤　過　猛　私　純　活　当 |

①（　　）大学・営業所　　　　　②（　　）小説・生活

③（　　）反対・練習　　　　　　④（　　）和風・国産

⑤（　　）作動・送信　　　　　　⑥（　　）住民・材料

⑦（　　）保護　　　　　　　　　⑧（　　）火山

(4) | 双　真　即　養　微　生　乱　深　広　試 |

①（　　）真面目　　②（　　）開発　　③（　　）運転

④（　　）方向　　　⑤（　　）犯人　　⑥（　　）呼吸

⑦（　　）範囲　　　⑧（　　）戦力　　⑨（　　）父母

⑩（　　）調整

(5) | 任せ　ぐるみ　並み　盛り　越し　がい　心地（ごこち）　丸　目　柄　素 |

① 窓・壁（　　　　）　　　　　② 力・運（　　　　）

③ 人・季節（　　　　）　　　　④ 寝・座り（　　　　）

⑤ 生き・働き（　　　　）　　　⑥ 町・家族（　　　　）

⑦ プロ・人・月（　　　　）　　⑧ 結び・切れ（　　　　）

⑨ 育ち・いたずら（　　　　）　⑩（　　　　）暗記・見え

⑪（　　　　）肌・手

2 意味・用法 意味と使い方を確認しよう。

次の二つの文のうち、下線の言葉の使い方が正しいほうの（　）に○を入れなさい。

(1) a 私は資格もないし、大学の成績も悪いから、<u>就職難</u>だ。 （　）

　　b 不況による企業の採用抑制で、<u>就職難</u>が深刻化している。 （　）

(2) a 現代社会の<u>問題視</u>は、景気の悪化だけではない。 （　）

　　b 高速道路の無料化を<u>問題視</u>する声もある。 （　）

(3) a 彼の曲は昔から似たようなものばかりで、<u>新鮮味</u>がない。 （　）

　　b この店の魚は<u>新鮮味</u>でとても評判がよい。 （　）

(4) a 彼は<u>独占欲</u>が強くて、何でも自分のものにしたがる。 （　）

　　b 彼はかなり<u>独占欲</u>が高い人だそうだ。 （　）

(5) a 試合を始めますから、審判の皆さんは<u>定位置</u>についてください。 （　）

　　b 先生の席は黒板の前に<u>定位置</u>している。 （　）

(6) a 田中さんの料理の腕は<u>人並み</u>だから、いつでも店が開けるだろう。 （　）

　　b 一年間ダンスを習い続け、やっと<u>人並み</u>に踊れるようになった。 （　）

(7) a この文章は<u>月並み</u>で面白みに欠けるなあ。 （　）

　　b 彼のファッションセンスは<u>月並み</u>で、本当にすばらしい。 （　）

(8) a あなたの生活より<u>私生活</u>のほうが大変だと思う。 （　）

　　b 山本選手は<u>私生活</u>についてめったに語らない。 （　）

3 意味 意味を確認しよう。

次の下線部の言葉の説明として適当なものを（　）の中から一つ選びなさい。

(1) <u>名刺大</u>のデジタルカメラが発売された。 （　名刺より大きい　名刺と同じ大きさ　）

(2) 彼の作文は<u>小学生並み</u>だ。 （　小学生と同じレベル　小学生とは思えない　）

(3) 窓から<u>家並み</u>を眺める。 （　隣の家　家が並んでいる様子　）

(4) 彼とは<u>家族ぐるみ</u>で付き合っている。 （　家族みんなで　家族のように　）

(5) 彼は<u>人柄</u>がいい。 （　性格　体格　）

(6) <u>素足</u>で歩く。 （　はだし　つま先　）

(7) <u>伸び盛り</u>の子供。 （　成長期　反抗期　）

(8) 彼は<u>生真面目</u>（きまじめ）な人だ。 （　真面目（まじめ）すぎる　あまり真面目（まじめ）じゃない　）

Ⅲ．実践練習　≫

1．（　　）に入れるのに最もよいものを、1・2・3・4から一つ選びなさい。(1点×15問)

1 両親は姉の結婚に（　　　）反対しているが、姉はあきらめようとしない。

　　1　過　　　　　　　2　極　　　　　　　3　激　　　　　　　4　猛

2 これは（　　　）国産のサラダ油ですので、安心してお使いいただけます。

　　1　真　　　　　　　2　本　　　　　　　3　純　　　　　　　4　原

3 このソフトを使えば、日英（　　　）方向の自動通訳が可能です。

　　1　双　　　　　　　2　互　　　　　　　3　相　　　　　　　4　合

4 彼は出世（　　　）がないようで、後輩が先に出世しても平気な顔をしている。

　　1　欲　　　　　　　2　観　　　　　　　3　味　　　　　　　4　視

5 通信（　　　）が発達したおかげで、海外の情報も素早く手に入れることができる。

　　1　網　　　　　　　2　層　　　　　　　3　圏　　　　　　　4　界

6 まったく危険なことなどないのに心配ばかりして、お前は心配（　　　）だなあ。

　　1　柄　　　　　　　2　状　　　　　　　3　性　　　　　　　4　病

7 隣の家とはここに引っ越して以来ずっと家族（　　　）のお付き合いをしている。

　　1　丸　　　　　　　2　ぐるみ　　　　　3　がい　　　　　　4　がら

8 あの最初の一点が勝負の分かれ（　　　）だった。

　　1　口　　　　　　　2　目　　　　　　　3　点　　　　　　　4　地

9 得意の英語を生かして、外資（　　　）の企業で働きたい。

　　1　派　　　　　　　2　類　　　　　　　3　統　　　　　　　4　系

10 ここ十年間、求人率も下がり、極めて深刻な就職（　　　）となっている。

　　1　困　　　　　　　2　化　　　　　　　3　難　　　　　　　4　苦

11 この作家は幅広いファン（　　　）に支持されている。

　　1　界　　　　　　　2　団　　　　　　　3　層　　　　　　　4　網

12 このダイエット法は効果があると評判だが、専門家からは疑問（　　）されている。

　　1　観　　　　　　　2　視　　　　　　　3　感　　　　　　　4　念

13 彼の話は何だか空想めいていて、真実（　　　）がない。

　　1　状　　　　　　　2　味　　　　　　　3　観　　　　　　　4　感

14 首都（　　　）に住む二十代の女性百人を対象にアンケート調査を行いました。

　　1　圏　　　　　　　2　層　　　　　　　3　界　　　　　　　4　帯

15 眼鏡は、柄の幅や角度などの（　　　）調整が必要だ。

　　1　微　　　　　　　2　少　　　　　　　3　細　　　　　　　4　小

2. ＿＿の言葉に意味が最も近いものを、１・２・３・４から一つ選びなさい。（2点×5問）

1 彼のアイデアは月並みだ。

　　1　最低　　　　　　　2　平凡　　　　　3　最高　　　　　　4　異常

2 彼は人柄がいいのでみんなに好かれる。

　　1　体格　　　　　　　2　顔　　　　　　3　性格　　　　　　4　頭

3 息子は今高校生で、伸び盛りだ。

　　1　思春期　　　　　　2　成長期　　　　3　反抗期　　　　　4　少年期

4 真夏の砂浜は熱くて素足では歩けない。

　　1　ゆっくり　　　　　2　はだしで　　　3　すばやく　　　　4　つま先で

5 この模型は実物大だそうだ。

　　1　実物より大きい　　　　　　　　　2　実物と同じ大きさだ

　　3　実物より重い　　　　　　　　　　4　実物と同じ重さだ

模擬試験

1. （　　　）に入れるのに最もよいものを、1・2・3・4から一つ選びなさい。（2点×7問）

1 古い木造校舎を（　　　）して、鉄筋コンクリートの新校舎を建てた。

　　1　修繕　　　　　　2　改修　　　　　　3　改装　　　　　　4　改築

2 私の話がわかりにくかったので、友人が（　　　）して言い直してくれた。

　　1　キープ　　　　　2　セーブ　　　　　3　フォロー　　　　4　マッチ

3 この学会を（　　　）することができましたのは、田中先生のご尽力のおかげです。

　　1　発作　　　　　　2　発足　　　　　　3　発揮　　　　　　4　発達

4 新しく入ったアルバイトの方には、制服が（　　　）されます。

　　1　支給　　　　　　2　供給　　　　　　3　配給　　　　　　4　受給

5 田中さんは川口さんからの申し出を（　　　）断っていた。

　　1　しんなり　　　　2　じんわり　　　　3　どんより　　　　4　やんわり

6 この料理は（　　　）ホテルならではの名物料理です。

　　1　自　　　　　　　2　当　　　　　　　3　各　　　　　　　4　主

7 山田さんは当時、若い女性の間で（　　　）なる人気を誇っていました。

　　1　偉大　　　　　　2　絶大　　　　　　3　壮大　　　　　　4　誇大

2. ＿＿の言葉に意味が最も近いものを、1・2・3・4から一つ選びなさい。（3点×6問）

1 試合であんなに激しくぶつかり合っても、けが一つしないなんて、タフなやつだよ。

　　1　かしこい　　　　2　幸運な　　　　　3　たくましい　　　4　やわな

2 このロボット一台で十人分の仕事をこなすことできます。

　　1　処置する　　　　2　処理する　　　　3　代行する　　　　4　代替する

3 二つの店はどちらの店の売り上げが多いかで、張り合っていた。

　　1　競合して　　　　2　競争して　　　　3　合同して　　　　4　協議して

4 その画家の生涯を回顧する展覧会が開かれていた。

　　1　振り返る　　　　2　振り向く　　　　3　見回す　　　　　4　見渡す

5 一家全員が亡くなるといういたましい火災が近所であった。

　　1　無残な　　　　　2　悲惨な　　　　　3　残酷な　　　　　4　残虐な

6 こつがわかれば、この料理は誰でも簡単に作れると思います。

　　1　手段　　　　　　2　手順　　　　　　3　要領　　　　　　4　要旨

3. 次の言葉の使い方として最もよいものを、1・2・3・4から一つ選びなさい。(3点×6問)

1 要請

1 お金が急に必要になったので、親に要請して送ってもらった。

2 祖父の八十歳の誕生日にはたくさんの人を要請した。

3 市からの要請で、被災地にヘリコプターを飛ばすことになった。

4 新人を要請するために、三週間の合宿を行うことになった。

2 あざとい

1 その子はあざとい子供だと、みんなからほめられた。

2 観客を泣かそうとするあざとい演出には、うんざりしてしまった。

3 何度試験に落ちても、あざとくあきらめないのが、彼のいいところだ。

4 今週は残業続きで、心も体もあざとくてしょうがない。

3 となえる

1 田中のとなえた政治改革の思想は、その後高く評価された。

2 午後十時三十七分を最後に、その旅客機からの連絡はとなえた。

3 緊張するようなときでも、気持ちをとなえて望めば、乗り越えられる。

4 となえて言えば、彼女はランの花のような女性だった。

4 余地

1 洪水で多くの住民が避難を余地なくされた。

2 庭の空いていた余地に池を作った。

3 彼が犯人であることに疑問の余地はない。

4 新しい校舎を建てるために、余地の買収が行われた。

5 ひときわ

1 以前も上手だったが、彼は前よりひときわ英語が上手になった。

2 苦労してつかんだ優勝だけに、喜びもひときわだ。

3 ひときわこちらの仕事をしておいて、後でもう一つの仕事をしましょう。

4 その山は周囲の山よりひときわ高くそびえていた。

6 緩和

1 がんの痛みを緩和するために、新しい薬が使われた。

2 彼は、緩和で、誰からも好かれる性格をしていた。

3 アルコールが体内に入ると、動作が緩和になります。

4 筆記試験の受験を緩和し、面接のみの選考とします。

1. （　　　）に入れるのに最もよいものを、1・2・3・4から一つ選びなさい。(2点×7問)

1 民間企業の社長だった山田氏は、大使に任命されて、中国に（　　　）した。

    1　左遷　　　　　　　2　転勤　　　　　　　3　転職　　　　　　　4　赴任

2 手で数えるなんて、そんな（　　　）なことをしていては、仕事が終わりませんよ。

    1　アドリブ　　　　　2　アドレス　　　　　3　アナログ　　　　　4　アラカルト

3 不景気の際の特別な（　　　）として、減税が行われることになった。

    1　処置　　　　　　　2　設置　　　　　　　3　装置　　　　　　　4　措置

4 彼の料理を作る（　　　）に感心してしまった。

    1　手当　　　　　　　2　手薄　　　　　　　3　手柄　　　　　　　4　手際

5 試験のことが頭を離れず、夜も（　　　）寝られなかったそうだ。

    1　おずおず　　　　　2　おちおち　　　　　3　おどおど　　　　　4　おろおろ

6 小説を完成させるのに、（　　　）三年掛かった。

    1　過　　　　　　　　2　純　　　　　　　　3　全　　　　　　　　4　丸

7 これは非常に（　　　）な機械なので、修理にもそれなりに技術を要する。

    1　技巧　　　　　　　2　精巧　　　　　　　3　巧妙　　　　　　　4　絶妙

2. ＿＿＿の言葉に意味が最も近いものを、1・2・3・4から一つ選びなさい。(3点×6問)

1 締め切りを守らないようなルーズな人にこの仕事は任せられません。

    1　あつかましい　　2　しつこい　　　　3　ずうずうしい　　4　だらしない

2 日本チームはワールドカップでベスト4入りを果たした。

    1　熟達した　　　　2　達成した　　　　3　到達した　　　　4　調達した

3 健康状態に不安があったので、今回は大会への参加を見合わせた。

    1　延期した　　　　2　解約した　　　　3　拒否した　　　　4　中止した

4 彼はコンピューター関係の仕事に従事していた。

    1　たずさえて　　　2　たずさわって　　3　たたずんで　　　4　ただよわして

5 人間関係がわずらわしいから、会社なんかで働きたくないという人もいる。

    1　希薄だ　　　　　2　冷たい　　　　　3　複雑だ　　　　　4　面倒だ

6 予算のめどがついたら、新しい図書館の建設が始まることになっている。

    1　見解　　　　　　2　見識　　　　　　3　見当　　　　　　4　見聞

3. 次の言葉の使い方として最もよいものを、1・2・3・4から一つ選びなさい。(3点×6問)

1 動向

　1　夜行性の動物なので、夜になると、その動向を観察することができる。

　2　来年の景気の動向について、政府の予測が発表された。

　3　火災の通報を受け、消防車が現場に動向した。

　4　私の将来の動向について、先生と相談をした。

2 あさましい

　1　新しく加入した山田選手はあさましく活躍した。

　2　予想外な出来事も起こり、計画はあさましくは進まなかった。

　3　遺産目当てに結婚するなんて、何てあさましいんだろう。

　4　新入社員たちのスピーチはやる気に満ちあふれ、あさましいものだった。

3 とりかかる

　1　そのニュースは新聞で大きくとりかかられた。

　2　彼の考えをとりかかって、計画を見直すことになった。

　3　失敗をとりかかろうとして、かえって信用を失ってしまった。

　4　作業にとりかかる前に、よくマニュアルを読んでください。

4 暴露

　1　新聞で、その政治家の不正が暴露された。

　2　原子力発電所の事故で、彼は放射能を暴露してしまった。

　3　水道管が破裂し、暴露した水が洪水のように街を襲った。

　4　企業のサーバーから個人情報が暴露する事件が相次いでいる。

5 すかさず

　1　ご注文の商品が届き次第、すかさずお知らせいたします。

　2　食事が終わった人は、すかさず仕事に戻ってください。

　3　相手チームの選手の動きが鈍くなったので、すかさず攻め込んだ。

　4　健康のために野菜ジュースを毎日すかさず飲んでいる。

6 譲歩

　1　山道では、人に道を譲歩するのがマナーだと思う。

　2　学会の賞をもらったのに、自分のことをとても譲歩して話していた。

　3　お金が必要だったので、親しい友人から譲歩してもらった。

　4　価格については、もうこれ以上、譲歩することはできない。

著者
伊能裕晃　東京学芸大学留学生センター非常勤講師、早稲田大学日本語教育研究センターインス
　　　　　トラクター（非常勤）、早稲田大学大学院日本語教育研究科博士後期課程
本田ゆかり　元電気通信大学非常勤講師、博士（学術）
来栖里美　早稲田EDU日本語学校横浜校専任講師
前坊香菜子　NPO法人日本語教育研究所研究員、聖学院大学非常勤講師、政策研究大学院大学非
　　　　　常勤講師、高崎経済大学非常勤講師、一橋大学大学院言語社会研究科博士後期課程
阿保きみ枝　いいだばし日本語学院、東京外語専門学校非常勤講師、一橋大学大学院言語社会研究
　　　　　科博士後期課程
宮田公治　日本大学工学部准教授

装丁・本文デザイン
糟谷一穂

新完全マスター語彙　日本語能力試験N1

2011年6月20日　初版第1刷発行
2017年1月23日　第7刷発行

著　者　　伊能裕晃　本田ゆかり　来栖里美　前坊香菜子
　　　　　阿保きみ枝　宮田公治
発行者　　藤嵜政子
発　行　　株式会社　スリーエーネットワーク
　　　　　〒102-0083　東京都千代田区麹町3丁目4番
　　　　　　　　　　　トラスティ麹町ビル2F
　　　　　電話　営業　03（5275）2722
　　　　　　　　編集　03（5275）2725
　　　　　http://www.3anet.co.jp/
印　刷　　株式会社シナノ

ISBN978-4-88319-573-2　C0081

新完全マスター **語彙** N1

日本語能力試験

別冊

<ruby>別<rt>べっ</rt></ruby> <ruby>冊<rt>さつ</rt></ruby>

<ruby>解<rt>かい</rt></ruby> <ruby>答<rt>とう</rt></ruby>

スリーエーネットワーク

1章　人間 | **1課　性格・人柄**

Ⅱ. 基本練習 ≫

1 ①ひとがら（人柄）　②したわれ（慕われ）　③はんかん（反感）　④しゃこうてき（社交的）

　　⑤ぶあいそう（無愛想）　⑥ドライ　⑦はげまし（励まし）　⑧きずつける（傷つける）

　　⑨しんし（真摯）

2 (1) 父親に―反発する　個性が―際立つ　好意を―持つ

　　(2) 友人を―かばう　上司に―気兼ねする　個性を―磨く　人柄が―にじみ出る

3 (1) ①気さく　②謙虚　③頑固　　(2) ①根っから　②まさしく　③さも

4 (1) 独特の　　(2) いい加減

5 (1) 猛　　(2) 的

Ⅲ. 実践練習 ≫

1. ☐1 1　　☐2 3

2. ☐1 3　　☐2 1

3. ☐1 3*　　☐2 4

　*☐1「クール」は感情に動かされない、という意味。「冷たい」という点で悪い意味で使うこともあるが、「いつも冷静である」というよい意味でも使う。

4. ☐1 3*　　☐2 4*

　*☐1「温和」は、気候や人の性格に使われる。1のように特定の日の気温を表す場合や、4のようにものについて使う場合は「暖かい」を使う。

　*☐2「中傷」は事実ではないことで人を傷つける、という意味。3は事実なので不適切。2は同音異義の「抽象」が入る。

1章　人間 | **2課　人間関係・付き合い**

Ⅱ. 基本練習 ≫

1 ①おさななじみ（幼なじみ）　②かぞくぐるみ（家族ぐるみ）　③ぎり（義理）

　　④いせい（異性）　⑤うわき（浮気）　⑥みれん（未練）　⑦ひきずった（引きずった）

2 (1) 客を―接待する　異性に―もてる　心が―弾む

　　(2) 婿を―もらう　家庭を―築く　未練が―ある　慣習に―従う

3 (1) ①妻子　②親族　③来賓

　　(2) ①先ごろ　②急きょ　③余程

4 (1) 仲がいい　　(2) 風習

5 (1) 同士　　(2) 出して

1. ⊡ 1　⊡ 2

2. ⊡ 4　⊡ 3

3. ⊡ 2　⊡ 2

4. ⊡ 1*　⊡ 3*

＊⊡「配偶者」は夫婦の一方から見た他方のこと。2のようにその人を指して使う語ではない。2の場合は「妻」「家内」などを使う。3、4は「夫婦」を使う。

＊⊡「執着」は何かを手に入れようと強く思うことや、ものごとに強くこだわること。「しゅうじゃく」とも言う。1は「試着」、2は「集中」、4は「熱狂」などが入る。

2章 生活　1課 日常生活

II. 基本練習 ≫

1 ①かまえる（構える）　②ちあん（治安）　③しんちく（新築）

④いくじ（育児）　⑤すこやか（健やか）　⑥なやまし（悩まし）

2 (1) あめを—なめる　そばを—すする　自然の恵みを—受ける

(2) 子供を—しつける　戸締まりを—する　家を—新築する　床が—きしむ

3 (1) ①補強　②放棄　③再建　(2) ①てきぱき　②じっくり　③一切

4 (1) 調べて　(2) 悪いところを直す

5 (1) 吸い　(2) 料

III. 実践練習 ≫

1. ⊡ 4　⊡ 2

2. ⊡ 3　⊡ 2

3. ⊡ 4　⊡ 2

4. ⊡ 2*　⊡ 4*

＊⊡「構える」は家や店などの建物と中身を整えること。1は「こだわる」、3は「盛り付ける」、4は「改築する」などを使う。

＊⊡「本場」はあるものごとが主に行われる場所や、あるものの本来の産地。1は「現場」、2は「本番」、3は「基礎」などが入る。

2章 生活　2課 医療・健康

II. 基本練習 ≫

1 ①くらくら　②さむけ（寒気）　③ちょうしんき（聴診器）　④はれ

⑤てんてき（ちゅうしゃ）（点滴（注射））　⑥ふせっせい（不摂生）　⑦おとろえ（衰え）

⑧しょほう（処方）　⑨あんせい（安静）　⑩こうねつ（高熱）　⑪かんせん（感染）

2 (1) 胃が—むかむかする　寒気が—する　肩が—凝る

　　(2) 体力が—落ちる　高熱が—出る　発作が—起こる　細胞が—老化する

3 (1) ①がんがん　②ひりひり　③げっそり　　(2) ①増進　②兆候　③感染

4 (1) 損なって　　(2) 不健康

5 (1) 切れ　　(2) 体

III. 実践練習 ≫

1. ⬚1 3　　⬚2 4

2. ⬚1 1　　⬚2 1

3. ⬚1 2　　⬚2 4

4. ⬚1 1*　　⬚2 3*

＊⬚1「頑丈（がんじょう）」は、体（からだ）が丈夫（じょうぶ）で病気（びょうき）になったりけがをしたりしにくいという意味（いみ）。ものの作りが丈夫で壊（こわ）れにくいという意味（いみ）でも使（つか）う。2のように、能力（のうりょく）が優（すぐ）れているという意味（いみ）では使（つか）わない。

＊⬚2「禁物（きんもつ）」は、避（さ）けなければならないものごと、またはしないほうがいいものごと。法律的（ほうりつてき）に禁止（きんし）されているわけではないが、一般的（いっぱんてき）・常識的（じょうしきてき）にすべきではないと考（かんが）えられることによく使（つか）う。

3章　芸術・スポーツ

II. 基本練習 ≫

1 ①しょひょう（書評）　②たいぼう（待望）　③しんかん（新刊）

　④ちょうへんしょうせつ（長編小説）　⑤うちこん（打ち込ん）　⑥だいたん（大胆）

　⑦びょうしゃ（描写）　⑧そうだい（壮大）　⑨どくそうてき（独創的）

2 (1) 盛大な—拍手　精巧な—彫刻　有望な—選手

　　(2) 茶道を—たしなむ　歌を—口ずさむ　作戦を—練る　声援を—送る

3 (1) ①戯曲　②文庫本　③原文　　(2) ①いかにも　②ぱらぱら　③がらんと

4 (1) 不調　　(2) 連帯

5 (1) 起こった　　(2) 版

III. 実践練習 ≫

1. ⬚1 3　　⬚2 2

2. ⬚1 1　　⬚2 1

3. ⬚1 2　　⬚2 1

4. ⬚1 3*　　⬚2 4*

＊⬚1「巧妙（こうみょう）」は、技術（ぎじゅつ）が非常（ひじょう）に高（たか）いという意味（いみ）だが、悪（わる）い意味（いみ）で使（つか）われることが多（おお）く、1には合（あ）わない。2は「器用（きよう）」、4は「微妙（びみょう）」などが入（はい）る。

＊⬚2「口ずさむ（くちずさむ）」は、歌（うた）などを自分（じぶん）で楽（たの）しむために、小（ちい）さな声（こえ）で口（くち）に出（だ）すという意味（いみ）。2のように人（ひと）に聞（き）かせるときには使（つか）わない。

II. 基本練習 》

1　①こうふう（校風）　②ちゅうこういっかん（中高一貫）　③よびこう（予備校）

④こころざし（志し）　⑤もはんてき（模範的）　⑥しょうがくきん（奨学金）

⑦かがいかつどう（課外活動）

2　(1) 文献を―講読する　専門用語を―定義する　ゼミを―聴講する

(2) 同窓会に―出席する　実技試験を―受ける　意味を―類推する　非行に―走る

3　(1) ①指摘　②免除　③授与　　(2) ①つくづく　②てっきり　③延々と

4　(1) 短くわかりやすく　　(2) おしゃべり

5　(1) 校　　(2) 金

III. 実践練習 》

1.　1 3　　2 1

2.　1 1　　2 2

3.　1 3　　2 2

4.　1 3*　　2 2*

＊1「志す」は、目標を決めて、それを実現しようとすること。2のような場合は「望む」「願う」など、4は「試す」を使う。

＊2「厳格」は、規則に厳しく、不正や惰性を許さない様子を表す。1のように「細かいところまで正確にする様子」は「厳密」、4のように「注意深く厳しい様子」には「厳重」を使う。

5章　仕事

II. 基本練習 》

1　①こよう（雇用）　②とっぱ（突破）　③ひせいき（非正規）　④かいこ（解雇）

⑤かいごふくしし・かいごし（介護福祉士・介護士）　⑥かんごし（看護師）

2　(1) 多忙を―極める　海外に―赴任する　商店を―営む

(2) 仕事が―はかどる　仕事を―手掛ける　仕事に―取り掛かる　社員を―雇う

3　(1) ①退職　②委託　③公募　　(2) ①着々と　②まっしぐらに　③即刻

4　(1) 熱中して　　(2) 進んだ

5　(1) 士　　(2) 家

III　実践練習 》

1.　1 4　　2 3

2.　1 2　　2 1

3.　1 1　　2 3

4. ① 2*　② 4*

*① 「おろそか」は、しなければならないことをしないでおく様子。「勉強をおろそかにする」「勉強がおろそかになる」という形で使うことが多い。1は「おろか」、3は「大らか」や「大ざっぱ」が入る。

*② 「転任」は、同じ会社などの組織の中で、勤める場所または仕事が変わること。1、2のように仕事自体を変える場合は「転職」や「転業」を使う。また、3のように、あちこち場所を変えて戦うことには「転戦」を使う。

6章　メディア

II. 基本練習 ≫

1 ①けんさく（検索）　②けいさい（掲載）　③かきこんで（書き込んで）

　　④とくしゅう（特集）　⑤ひょうばん（評判）

2 (1) 不評を―買う　好評を―博す　掲示板に―投稿する

　　(2) 雑誌を―購読する　結婚を―報じる　人気が―下火になる　宣伝が―流れる

3 (1) ①掲載する　②更新する　③閲覧する　(2) ①続々と　②早速　③大々的に

4 (1) 次々に　　(2) 大げさ

5 (1) 号　　(2) 生

III. 実践練習 ≫

1. ① 1　② 4

2. ① 3　② 2

3. ① 3　② 1

4. ① 4*　② 2*

*① 「オーバー」は、実際より大げさに、誇張して、という意味。

*② 「頻繁」はものごとが繰り返し何度も行われるときに使われ、「疲れた顔をする」や「売れる」などの「回数」として数えないことがらには使わない。

7章　社会　1課　経済・産業

II. 基本練習 ≫

1 ①じゅうこうぎょう（重工業）　②せんいこうぎょう（繊維工業）

　　③けいこうぎょう（軽工業）　④じゅうじ（従事）

　　⑤すいさんぎょう（水産業）　⑥りんぎょう（林業）

2 (1) 税金を―納入する　インフレを―引き起こす　提携を―結ぶ

　　(2) 採算が―合う　交渉が―妥結する　漁船が―停泊する　景気が―回復する

3 (1) ①転落　②提携　③低迷　(2) ①還元　②妥結　③譲歩

4 (1) 何とか　　(2) 徐々に

5 (1) 引き　　(2) 財政

III. 実践練習 ≫

1. ①2　　②4
2. ①3　　②1
3. ①4　　②3
4. ①3*　　②4*

　*①「一気に」は、たくさんのものごとを一度に行う、局面などが急激に変化するという意味。4の「励む」は「一生懸命努力する、打ち込む」という継続的な行為を意味し、一度に行ったり、変化したりするという意味と合わないので、不自然な文になる。

　*②「内訳」は金額と物品の総量について内容を項目別に一覧にしたもの。

7章 社会　2課　政治・法律・歴史

II. 基本練習 ≫

1 ①かんわ（緩和）　②しんせい（申請）　③けいせい（形成）

　④しんりゃく（侵略）　⑤いせき（遺跡）　⑥となえる（唱える）　⑦そち（措置）

2 (1) 声明を—発表する　法律を—施行する　軍事力を—増強する

　(2) 訴訟を—起こす　憲法を—制定する　遺跡を—発掘する　旅券を—発給する

3 (1) ①緩和　②採決　③形成　　(2) ①議題　②腐敗　③協議

4 (1) 栄えた　　(2) 全然

5 (1) 異　　(2) 跡

III. 実践練習 ≫

1. ①4　　②2
2. ①2　　②3
3. ①4　　②1
4. ①3*　　②1*

　*①「賠償」はほかの人に与えた損害、重大な過失や法的に罪になるようなことを償うこと。1「花瓶を〜」の場合は、損害が社会的に重大な問題ではなく、個人の話し合いで解決できるので「弁償」を使う。

　*②「措置」は事態に応じて必要な手続きを取ること。3「虫歯を〜」のような、病気や傷の手当てという意味では「処置」を使う。

7章 社会　3課　社会問題（格差社会・少子高齢化）

II. 基本練習 ≫

1 ①こよう（雇用）　②ねんきん（年金）　③かにゅう（加入）　④しょうしか（少子化）

　⑤へいきんじゅみょう（平均寿命）　⑥こうれいか（高齢化）

2 (1) 福利厚生を—充実させる　死亡率が—激増する　患者を—看護する

(2) 還暦を—迎える　出生率が—低下する　平均寿命が—延びる　両親が—老ける

3 (1) ①支給　②安定　③加入　　(2) ①しっかり　②いよいよ　③めっきり

4 (1) 処理する　　(2) 介護

5 (1) 化　　(2) 層

Ⅲ. 実践練習 ≫

1. 1 3　　2 2

2. 1 3　　2 1

3. 1 4　　2 1

4. 1 3*　　2 2*

*1「てきぱき(と)」は「片付ける」「答える」「指示を出す」などの語と一緒に使い、処理や対応が素早く的確である様子を表す。

*2「軽視」は軽く考えてその価値や影響力を認めないこと。

8章　科学　1課　自然・地形

Ⅱ. 基本練習 ≫

1 ①こうおんたしつ (高温多湿)　②ぼうふうう (暴風雨)　③ふりつもる (降り積もる)

　　④おんだん (温暖)

2 (1) ぽっかり—月が浮かぶ　どんより—空が曇る　ぽつぽつ—雨が降り始める

　　(2) 風が—吹き荒れる　霧が—立ち込める　雪が—降り積もる　波が—打ち寄せる

3 (1) ①日没　②山頂　③起伏　　(2) ①砂浜　②海峡　③海底

4 (1) なだらか　　(2) 限りなく

5 (1) 大　　(2) 立ち

Ⅲ. 実践練習 ≫

1. 1 4　　2 1

2. 1 2　　2 3

3. 1 3　　2 2

4. 1 4*　　2 1*

*1「じめじめ」は湿気が多くて不快という意味。「部屋の空気が〜」など。2「暴風雨」のように、激しい雨そのものを指す場合には使わない。

*2「斜面」は傾斜している面を表す。「山の〜」「丘の〜」など。

8章　科学　2課　技術

Ⅱ. 基本練習 ≫

1 ①げんしりょく (原子力)　②すいりょく (水力)　③たようか (多様化)

④たいようこう（太陽光）　⑤へんかん（変換）　⑥ソーラーパネル

2 (1) 電力を—消費する　人工衛星を—打ち上げる　省エネに—取り組む

(2) 金属が—さびる　飛行機が—着陸する　鉄を—加工する　エネルギーを—出力する

3 (1) ①発足　②変換　③処理　(2) ①ソフトウェア　②機能　③デジタル

4 (1) 画期的　(2) 完全に

5 (1) 源　(2) 化

Ⅲ. 実践練習 ≫

1. ☐1 2　☐2 3

2. ☐1 1　☐2 4

3. ☐1 2　☐2 3

4. ☐1 1*　☐2 4*

＊☐1「携わる」は、あるものごとに関係する、あるものごとを仕事として継続的に行うという意味。「仕事に携わる」「事業に携わる」「学問に携わる」などのように使う。会社で社員が働くことについては使わない。

＊☐2「いまだに」は、期待されていた変化が起こらず、現在も同じ状態が続いているということを表し、その継続している状態を否定的にとらえて言う場合に使うことが多い。

9章　抽象概念　1課　時間・空間

Ⅱ. 基本練習 ≫

1 ①むかい（向かい）　②めんして（面して）　③ときおり（時折）　④ぶり（振り）

⑤にわかに　⑥かねて

2 (1) 交通—網　ゴール—地点　左右—対称

(2) 夜が—更ける　正面から—衝突する　前へ—踏み出す　広い範囲に—渡る

3 (1) ①ほぼ　②依然　③時折　(2) ①区域　②余地　③全域

4 (1) 一日中　(2) 急に

5 (1) 網　(2) 区画

Ⅲ. 実践練習 ≫

1. ☐1 1　☐2 3

2. ☐1 3　☐2 2

3. ☐1 3　☐2 3

4. ☐1 1*　☐2 2*

＊☐1「踏み出す」は、新しい仕事や活動などを始めるという意味のほか、足を一歩前に出す、という意味にも使われる。2のように「～から」に続く場合後者の意味になり、マラソンランナーがスタート地点を出発するという意味にはならないので不適切。「～から」に続く場合、「右足から踏み出す」のように使われる。

＊☐2「背後」は、人やものの後方、または人、もの、出来事の後ろにあり隠れて目に付きにくい部分につい

て使われる。3「コピー用紙の〜」の場合は「裏面」を使う。

Ⅱ. 基本練習 ≫

1 ①ごうい（合意）　②おもわく（思惑）　③よういん（要因）　④いっぺん（一変）

　　⑤だきょう（妥協）　⑥たいとう（対等）

2 (1) 仮説を―検証する　よい結果を―もたらす　相手を―追い込む

　　(2) 治安が―悪化する　目途が―立つ　思惑が――致する　物価が―変動する

3 (1) ①変遷　②一変　③異変　　(2) ①縁　②由来　③由緒

4 (1) 大きく　　(2) 関係

5 (1) 合って　　(2) 結果

Ⅲ. 実践練習 ≫

1. ⬜1⬜ 2　　⬜2⬜ 4

2. ⬜1⬜ 4　　⬜2⬜ 1

3. ⬜1⬜ 3　　⬜2⬜ 3

4. ⬜1⬜ 1*　　⬜2⬜ 3*

　＊⬜1⬜「思惑」は、あらかじめ考えていたことがらや自己中心的な意図、見込みなどを表し、悪い意味で使われることが多い。2と4の場合は「意志」、3の場合は「抱負」が入る。

　＊⬜2⬜「妥協」は、対立したことがらについて、双方が譲り合って穏やかに解決すること。1の場合は後ろが「つく」なので、「妥協」ではなく「折り合い」を使う。

実力養成編　第2部　性質別に言葉を学ぼう

1章　意味がたくさんある言葉　1課　名詞

Ⅰ. 言葉と例文 ≫

1 c

　＊三つの文の「模様」の意味は、「外から見てわかる」という点で共通している。

Ⅱ. 基本練習 ≫

1 (1) ①軸　②芯　③模様　④様　⑤ひび　⑥溝

　　(2) ①あて　②見込み　③筋　④隙　⑤枠　⑥柄

2 (1) ひびが―入る　見込みが―立つ　溝が―深まる

　　(2) 隙を―つく　枠を―超える　　あてに―する　溝に―はまる

(3) 筋が―いい　あてが―外れる　溝が―埋まる　芯が―強い

(4) 隙を―ねらう　拍子を―取る　枠で―囲む　柄に―合わない

③ (1) ×　隙　　(2) ○　　(3) ×　拍子　　(4) ×　節　　(5) ×　見込み　　(6) ○　　(7) ○

(8) ×　枠　　(9) ×　ひび　　(10) ×　筋　　(11) ○　　(12) ○　　(13) ×　柄　　(14) ○

Ⅲ. 実践練習 ≫

1. ① 1　② 3　③ 3　④ 1　⑤ 2　⑥ 4　⑦ 1　⑧ 3　⑨ 1

  ⑩ 1　⑪ 4　⑫ 1　⑬ 3

2. ① 3　② 4　③ 1

3. ① 2*　② 1*　③ 2*

  *① 1は「見込み」、3も「見込み」、4は「当たったら」が適切。

  *② 2は「筋」「内容」、3は「見込み」、4は「様子」が適切。

  *③ 1は「隙」、3は「溝」、4は「ひざ」が適切。

1章　意味がたくさんある言葉　2課　動詞

Ⅰ　言葉と例文 ≫

1 かなう

Ⅱ. 基本練習 ≫

1 (1) 飢え・空腹・雨風・寒さ―をしのぐ　人気・話題・優勝―をさらう

　　氷・岩・骨・夢―を砕く

(2) 行事・会・吐き気・眠気―を催す　指示・協力・判断・指導―を仰ぐ

　　危険・人の迷惑・家庭―を顧みない　関係・消息・連絡・命―を絶つ

(3) がん・病・毒・ウイルス―に侵される　悲しみ・涙・悲嘆・途方―に暮れる

　　条件・目的・道理・礼儀―にかなう　人込み・闇・忙しさ―に紛れる

(4) 町・家計・企業・生活―が潤う　望み・希望・夢―がかなう

　　不安・思い・寂しさ―が募る　寒さ・暑さ・睡眠不足―がこたえる

2 (1) ①aひびいて　bひびいて　②aあおぎ　bあおいだ　③aもむ　bもまれ

　　④aうえて　bうえた　⑤aはじく　bはじかれて　⑥aこたえる　bこたえられ

(2) ①aこって　bこった　②aもがいて・もがき　bもがいて

　　③aかすんで　bかすんで　④aはかる　bはかって　⑤aつのって　bつのる

　　⑥aもれれ　bもれて

3 (1) ×　砕いて　　(2) ○　　(3) ×　遠ざかって　　(4) ×　控えて　　(5) ○

  (6) ×　ふるまった　　(7) ×　弾んで

Ⅲ. 実践練習 ≫

1. ① 2　② 2　③ 4　④ 1　⑤ 3　⑥ 3　⑦ 1　⑧ 4　⑨ 2

2.　1　2　　　2　3　　　3　3

3.　1　3*　　　2　2*　　　3　1*

　　*1は「控えた」、2は「響いた」、4は「断たれて」が適切。

　　*2は「落ちて」、3は「催して」、4は「潤って」が適切。

　　*3は「帰ろう」「戻ろう」「引き返そう」、3は「見えるようになります」、4は「変わって」などが適切。

2章　意味が似ている言葉　1課　副詞・形容詞

Ⅰ. 言葉と例文 ≫

1 （訂正例）先生のご著書はすべて、大変興味深く拝読しておりました。

Ⅱ. 基本練習 ≫

1 (1) 大まかに―大ざっぱに　あらかじめ―前もって　円滑に―スムーズに　いやに―変に

　　(2) ろくに―十分に　あえて―無理に　一切―まったく　おろそかに―いい加減に

　　　　無愛想に―そっけなく

　　(3) ふさわしい―適切な　ぞんざいな―無礼な　望ましい―好ましい

　　　　簡素な―シンプルな　タフな―強い

　　(4) ばかばかしい―くだらない　有望な―期待できる　つれない―冷たい

　　　　エレガントな―品がいい　あやふやな―はっきりしない

2 (1) ①あらかじめ　②やんわり　③もっぱら　④ことごとく

　　(2) ①大まかに　②すんなり　③とっさに　④交互に

　　(3) ①丸ごと　②終始　③煙たく　④ろくに

　　(4) ①煩わしい　②シンプルな　③見苦しい　④無礼な

　　(5) ①著しい　②すがすがしい　③ルーズな　④紛らわしい

3 (1) 簡素な・質素な―生活・暮らし・服装　　目覚しい・驚くべき―発展・進歩・働き

　　　　たくましい・タフな―人・体・生き方　　つれない・冷淡な―態度・言葉・人

　　(2) ろくに・満足に―寝ていない・食べていない

　　　　やんわり・遠回しに―断る・反対する　　鮮やかに・鮮明に―思い出す・描く

　　　　すんなり・あっさり―受け入れる・あきらめる　　大まかに・大ざっぱに―言う・分

　　　　ける

Ⅲ. 実践練習 ≫

1.　1　4*　　2　2　　3　2　　4　3　　5　1　　6　4*　　7　1　　8　3　　9　1*

　　10　2　　11　4　　12　4*　　13　1*　　14　4　　15　3　　16　3　　17　4*　　18　4

　　19　3　　20　3　　21　4　　22　1　　23　3　　24　1*　　25　2

　　*1この文での「うっとうしい」は「うるさい」の意味。これと言い換えられるのは「煩わしい」だけである。「や

やこしい」には「うるさい」という意味はない。

＊⑥「いやに」は程度が高いことに疑問を持つ様子を表す。「かなり」には「どうしたのだろう」という疑問の意味が含まれないので、ここでは「妙に」が適切。

＊⑨「望ましい」は「期待に合っている、そのほうがいい」という意味。「ふさわしい」は、「適当である、釣り合っている」という意味。「期待する」は、「〜ほうが期待する」とは言えない。

＊⑫「不意に」は「予想をしていない」ときに使う。「意識せずに反射的に行動する」という意味の「とっさに」よりも「突然」のほうが適切。

＊⑬「最低の条件で」という意味で使われている。「ようやく」は努力したり、時間を掛けた結果、目標・目的を達成したときに使う。

＊⑰「面倒」は「手間が掛かる」の意味。「ややこしい」が適切。「うっとうしい」は「邪魔でうるさく感じる」という意味。

＊㉔「もっぱら」はある一つのことに集中する様子を表す。ビールばかりを飲んでいるという意味になる。

2章　意味が似ている言葉　2課　動詞・名詞

Ⅰ. 言葉と例文 ≫

① ほめる

Ⅱ. 基本練習 ≫

① (1) メリット―よい点　一切―全部　キャリア―経歴　構想―プラン

(2) 最善―ベスト　ナンセンス―無意味　あべこべ―反対　過ち―ミス　前途―将来

(3) 見合わせる―やめる　うんざりする―うっとうしく思う　省みる―思い返す
　　果たす―達成する　サポートする―助ける

(4) 放り出す―やめる　こじれる―悪化する　キープする―維持する
　　気兼ねする―気を遣う　ばてる―疲れる

② (1) ①前途　②目途　③構想　④過ち

(2) ①経歴　②行く先　③あべこべ　④一切

(3) ①尽くす　②打ち明ける　③なじむ　④張り合う

(4) ①かなう　②おだてる　③案じる　④見逃す

(5) ①異動する　②該当する　③途絶える　④補足する

③ (1) ①(が)込み上げる・わく　②(を)確定する・決める　③(が)途絶える・なくなる
　　④(を)果たす・達成する

(2) ①(が)こじれる・もつれる　②(に)なじむ・慣れる　③(を)見合わせる・中止する
　　④(を)投げ出す・放り出す　⑤(に)かなう・合う

Ⅲ. 実践練習 ≫

1. ① 2*　　② 1　　③ 1*　　④ 1　　⑤ 2　　⑥ 4　　⑦ 2　　⑧ 2　　⑨ 4

10 4　　11 4　　12 2　　13 1*　　14 1　　15 3　　16 1　　17 1　　18 2

19 2　　20 1　　21 4　　22 3　　23 4　　24 1　　25 2*

*1 「こじれる」「もつれる」は「関係、話」の場合は言い換えることができる。しかし、「病気が悪くなる」の場合は「こじれる」しか使えない。

*3 「配置する」は「人やものを決まった位置に割り当てて置く」こと。「人員を配置する」「施設を配置する」など。「配備する」は「準備を整える」こと。「軍隊を配備する」「救急車を五台配備する」など。

*13 「まちまち」はそれぞれが違っていて、いろいろであるという意味。「めいめい」は「それぞれ」と言い換えることはできるが、人に対してのみ使う語で「一人一人」の意味。

*25 「思い出す」は「単に忘れていたことや過去のことが心に浮かぶ」ことなので、「失敗したとき」とはつながらない。

3章　形が似ている言葉　1課　漢語

I. 言葉と例文 ≫

1 過密

II. 基本練習 ≫

1 (1) 過密な―日程・ダイヤ　過剰な―反応・投資・装飾　過疎の―解消・進行・地域

(2) 簡潔な―文章・主張・発言　簡略な―流れ・報告・裁判

　　簡易な―修理・製造法・道具　簡素な―生活・外観・結婚式

(3) 明白な―証拠・事実・違反　明朗な―性格・歌声・青年

　　明快な―説明・発想・世界観　明瞭な―発音・印刷・答え

(4) 壮大な―物語・実験・計画　盛大な―拍手・式典・歓迎

　　絶大な―人気・効果・権力　膨大な―数・データ・資金

(5) 栄養・燃料・物資―を補給する　損害・被害・治療費―を補償する

　　内容・説明・資料―を補足する　商品・職員・用紙―を補充する

(6) 改革・調査・プレー―を続行する　治安・健康・生命―を維持する

　　香り・集中・成長―が持続する　制度・施設・種―が存続する

(7) 事件・不正・熱愛―が発覚する　心臓・喘息・咳―の発作が起きる

　　熱・怒り・不満―を発散する　政権・制度・組織―が発足する

2 (1) ①規範　②規格　③規律　(2) ①唾然　②漠然　③呆然

(3) ①同感　②賛同　③同調　(4) ①弁護　②釈明　③弁解

(5) ①共感　②同情　③共鳴

3 (1) ×　規約　(2) ○　(3) ×　簡略・簡素　(4) ×　壮大　(5) ○

4 (1) b　(2) a、b　(3) c　(4) a、b

Ⅲ．実践練習 ≫

1. ⬜1 3　⬜2 1　⬜3 1　⬜4 3　⬜5 2　⬜6 3　⬜7 3　⬜8 3　⬜9 1
⬜10 1

2. ⬜1 3　⬜2 2　⬜3 2　⬜4 3　⬜5 2

3. ⬜1 3*　⬜2 4*　⬜3 4*　⬜4 1*　⬜5 4*

　*⬜1 1は「過剰」、2は「過多」、4は「過密」などが適切。
　*⬜2 1は「簡素」、2は「簡略」「簡素」、3は「簡便」「簡易」などが適切。
　*⬜3 1は「明快」、2は「明瞭」、3は「明晰」などが適切。
　*⬜4 2は「継続」、3は「持続」、4は「維持」などが適切。
　*⬜5 1は「規格」、2は「規範」、3は「規律」などが適切。

3章　形が似ている言葉　2課　和語

Ⅰ．言葉と例文 ≫

1 「おろそか」と「おごそか」を間違って使っている。

Ⅱ．基本練習 ≫

1 (1) はなばなしい―活躍・経歴　はかばかしい―返事・成果

　(2) いたましい―事件・事故　あさましい―姿・根性　いさましい―発言・音楽

　(3) なごやかな―雰囲気・表情　なめらかな―動き・肌　なだらかな―坂道・カーブ

　(4) あくどい―手口・業者　あざとい―演出・文章　めざとい－子供・見つける*

　(5) 集中・会話―がとぎれる　雲・鎖・手―がちぎれる　髪・麺・葉―がちぢれる

　(6) 結び目・ロープ―がほどける　緊張・筋肉―がほぐれる　糸・裾・髪―がほつれる

　*(4)だたし、「見つける」は動詞なので、実際には「めざとく見つける」と形を変えて使う。

2 (1) ①心配り　②心残り　③心掛け　(2) ①手入れ　②手際　③手分け

　(3) ①いわく　②いわば　③いわゆる　(4) ①何やら　②何かと　③何分

　(5) ①くるんで　②うるんで　③ひるんで　(6) ①ばてる　②はける　③はてる

　(7) ①ねだる　②ねたむ　③ねばる　(8) ①おごそか　②おろか　③おろそか

3 (1) × ほぐれて　(2) × あざとい　(3) ○　(4) × 痛々しかった　(5) ○

　(6) × 手加減　(7) × ねらわれ

Ⅲ．実践練習 ≫

1. ⬜1 3　⬜2 1　⬜3 1　⬜4 2　⬜5 4　⬜6 2　⬜7 3　⬜8 4　⬜9 4
⬜10 3

2. ⬜1 3　⬜2 3　⬜3 4　⬜4 4　⬜5 4

3. ⬜1 2*　⬜2 2*　⬜3 1*　⬜4 4*　⬜5 2*

　*⬜1 1は「くるまれ」、3は「うるんで」、4は「たるんで」などが適切。

* ②1は「何とか」、3は「何でも」「何なりと」など、4は「どうやら」などが適切。

* ③2は「あらゆる」、3は「いわば」、4は「言う」などが適切。

* ④1は「のどか」、2は「すこやか」、3は「すみやか」などが適切。

* ⑤1は「はかばかしく」、3は「はなはだしい」、4は「はではでしい」などが適切。

4章　副詞　1課　程度、時間、頻度の副詞

Ⅰ. 言葉と例文 ≫

① むちゃくちゃ

＊「いやに」を使うと、「こんなにおいしいのは変だ」という、「おいしいこと」を不審に思う感じになる。

Ⅱ. 基本練習 ≫

① (1) ①ごく　②はなはだ　③すこぶる　　(2) ①ひときわ　②とりわけ　③とびきり

(3) ①とっくに　②ぼつぼつ　③かねがね　　(4) ①長らく　②前もって　③年中

＊(1)「ごく」は、「少ない」「わずか」「近い」「親しい」などのほかに、「普通」「平凡」「一般」「平均」といった語を強調する際にも使われる。

② (1) ①やたらに　②いやに　③うんと　　(2) ①やや　②いささか　③至って

(3) ①とっさに　②即刻　③すかさず　　(4) ①即座に　②急きょ　③じきに

(5) ①四六時中　②再三　③ちょいちょい

③ (1) × 最近・近ごろ　　(2) ○　　(3) ○　　(4) × 非常に・とても　　(5) × 終始

(6) ○

④ (1) 思っていた　　(2) よかった　　(3) 増えた・増加した

Ⅲ. 実践練習 ≫

1. ① 4　　② 4　　③ 1　　④ 2　　⑤ 4　　⑥ 2　　⑦ 2　　⑧ 2　　⑨ 4

⑩ 3

2. ① 2　　② 4　　③ 2　　④ 2　　⑤ 4

3. ① 3*　　② 2*　　③ 4*　　④ 1*　　⑤ 4*

＊①1は「すごく」「実に」、2は「やはり」、4は「無理に」などが適切。

＊②1は「相当」、3は「だんだん」、4は「断トツ」などが適切。

＊③1は「特別に」、2は「即座に」、3は「少なくとも」などが適切。

＊④2は「もしかしたら」、3は「本当に」、4は「随分」などが適切。

＊⑤1は「次に」、2は「間もなく」、3は「しばらく」などが適切。

4章　副詞　2課　後ろに決まった表現が来る副詞

Ⅰ. 言葉と例文 ≫

① 「かろうじて」は、既に起こっていることに使うので、文の終わりが「〜た」「〜ている」などの形になる。

この文では「～たい」となっているので、これから起こること、したいことなどに使える、「何とか」「どうにか」などに表現を変える。

Ⅱ．基本練習 ≫

1 (1) ①てっきり ②さも ③一向に (2) ①案の定 ②どうやら ③いかにも

　(3) ①あらかじめ ②いっそ ③一概に (4) ①しいて ②かろうじて ③ことによると

2 (1) ①ろくに ②到底 ③一向に (2) ①あえて ②幸いにも ③危うく

　(3) ①てっきり ②確か ③よもや (4) ①よほど ②どうやら ③いかにも

3 (1) ○ (2) × 一体 (3) × かろうじて・どうにか (4) × さぞ

　(5) × 仮に・もし (6) × 危うく (7) ○

4 (1) 来ないらしい (2) パンさえ・パンも・何も（または、「パンしか」を取る。）

　(3) 就職できた (4) 降った (5) するとしたら

Ⅲ．実践練習 ≫

1. ⌷1⌷ 1　⌷2⌷ 1　⌷3⌷ 1　⌷4⌷ 4　⌷5⌷ 3　⌷6⌷ 3　⌷7⌷ 2　⌷8⌷ 4　⌷9⌷ 2

　⌷10⌷ 2

2. ⌷1⌷ 3　⌷2⌷ 4　⌷3⌷ 3　⌷4⌷ 3　⌷5⌷ 2

3. ⌷1⌷ 3*　⌷2⌷ 3*　⌷3⌷ 1*　⌷4⌷ 4*　⌷5⌷ 3*

　*⌷1⌷「仮に」は、現実とは異なる状態を想定する場合に使う。1の「一生懸命勉強すれば」は、条件の文で、実際に勉強するかどうかまだ決まっていないので、既に決まっている現実と異なる状態を想定する「仮に」が使えない。2の「毎日頑張ったら」は実際に「頑張っていた」ということを表しており、現実と異なる状態を想定する文ではないので、「仮に」は使えない。4の「べきだと思います」の文は、「自分の意見」または「相手への働きかけ」を表す文で、現実と異なる状態を想定している文ではないので、「仮に」が使えない。

　*⌷2⌷ 1は「どうにも」、2は「絶対に」、4は「どうにか」などが適切。

　*⌷3⌷ 2は「一気に」、3は「一心に」、4は「一面に」などが適切。

　*⌷4⌷ 1は「とうとう」、2は「徹底」、3は「相当」などが適切。

　*⌷5⌷ 1は「一目」、2と4は「一目」などが適切。

4章 副詞 **3課 まとめて覚えたい副詞・その他の副詞**

Ⅰ．言葉と例文 ≫

1 c

Ⅱ．基本練習 ≫

1 (1) 逐一──説明する・調べる・検討する　切に──願う・祈る・望む

　　俄然──元気になる・興味がわいてくる・活気が出てくる

　(2) たかだか──一万円のかばん・二百年の歴史・係長になったぐらい

　　一躍──知れ渡る・人気作家になる・脚光を浴びる

くれぐれも—よろしくお伝えください・ご注意を・失礼のないように

心底—あきれる・うれしい・そう思う

2 (1) ①ひたすら　②極力　③思い切り　　(2) ①隈なく　②ことごとく　③根こそぎ

(3) ①大方　②概ね　③総じて　　(4) ①自ずから　②ひとりでに　③自ら

(5) ①心底　②一心に　③根っから　　(6) ①たかが　②せいぜい　③たかだか

(7) ①一斉に　②一気に　③一挙に　　(8) ①真に　②直に　③現に

(9) ①悠々と　②黙々と　③転々と

3 (1) ×　徐々に　　(2) ○　　(3) ×　もともと・そもそも　　(4) ○　　(5) ×　つい

III. 実践練習 ≫

1. 　1 2　　2 1　　3 1　　4 3　　5 3　　6 3　　7 2　　8 3*　　9 2

　　10 2*

　*8 「極秘で」「内々に」はそれぞれ「外部に秘密を漏らさないで」、「内部の人だけで非公式に」という意味で、複数の人の間で何かを秘密にする意味。「密かに」は、意図的に人に知られないようにして、何かをする場合に使い、一人で行う行為にも使われる。

　*10 「本来」は、「カンニングは、本来あってはならないことだ」のように、「現状はそうでないが本当は」という意味を持ち、現状と、理想やもともとの状態を比較する場合に使う。「元来」には、「もともと最初から」という意味があるが、理想やもともとの状態と比較する意味はない。問題文は、「人前で話すこと」がもとから「苦手」で、「今も」「苦手」だという文で、もともとの状態と現状が同じだということを表す文なので、「元来」を使う。

2. 　1 2　　2 2　　3 4　　4 2　　5 3

3. 　1 3*　　2 4*　　3 1*　　4 2*　　5 4*

　*1 1は「一躍」、2は「一気に」、4は「一度に」などが適切。

　*2 1は「取りあえず」、2は「とかく」、3は「とにかく」などが適切。

　*3 2は「かなり」「断然」、3は「ことごとく」、4は「かなり」「よくよく」などが適切。「くれぐれも」には「相手に繰り返し何かを願う」という意味があり、4のように自分の行為には使いにくい。

　*4 1は「とても」、3は「はなはだ」、4は「およそ」などが適切。

　*5 1は「極めて」、2は「かねがね」、3は「一生懸命に」「無理に」などが適切。

5章 オノマトペ　1課　ものの様子・人の様子①

I. 言葉と例文 ≫

1 b

II. 基本練習 ≫

1 (1) がくんと—下がる　からりと—晴れる　きらりと—輝く

(2) じっとり—湿る　ちくちく—刺さる　ぱんぱんに—はれる　こちこちに—凍る

(3) しんと―静まり返る　ぐっしょり―濡れる　どんより―曇る　ぐにゃぐにゃ―曲がる

(4) まるまると―太る　じわりと―広がる　ずんずん―進む　ちらほら―見かける

(5) こうこうと―光る　がらんと―空く　ぎゅうぎゅうに―詰め込む　ぐんぐん―育つ

(6) のこのこ―出かける　すごすご―立ち去る　ずかずか―入り込む　さめざめ―涙を流す

(7) ふらりと―現れる　とぼとぼ―歩く　しげしげ―見つめる　ずけずけ―言う

2 (1) ①とんとん　②きっかり　③まちまち　(2) ①ぬけぬけ　②おちおち　③おずおず

(3) ①とぼとぼ　②どたどた　③てくてく　(4) ①ぽんぽん　②ぽつりと　③ぶうぶう

3 (1) ○　(2) × しげしげと・まじまじと　(3) × ゆらゆら　(4) × ぺこぺこ

(5) ○　(6) × ずかずか　(7) ○

4 (1) こうこうと　(2) ゆるゆるになった　(3) ぱんぱんで　(4) ちくちくする

(5) しんなりして・しんなりとなって　(6) じっとり（と）

III. 実践練習 ≫

1. |1| 1　　|2| 3　　|3| 2　　|4| 3　　|5| 2　　|6| 4　　|7| 3　　|8| 1　　|9| 4

　|10| 4

2. |1| 1　　|2| 2　　|3| 3　　|4| 1　　|5| 2

3. |1| 3*　　|2| 1*　　|3| 4*　　|4| 1*　　|5| 1*

　＊|1|1は「わざわざ」、2は「ぎくしゃく」、4は「どきどき」などが適切。

　＊|2|2は「きっぱり」、3は「はっきり」「きちんと」、4は「ぎっしり」などが適切。

　＊|3|1は「ぶかぶか」、2は「のこのこ」、3は「ばくばく」「勝手に」「ずうずうしく」などが適切。

　＊|4|2は「からりと」、3は「ずっと」「ぐっと」、4は「がくんと」などが適切。

　＊|5|2は「はっきり」、3は「ぼそぼそ」、4は「ばくばく」「がつがつ」などが適切。

5章　オノマトペ　2課　人の様子②

I. 言葉と例文 ≫

1 b

II. 基本練習 ≫

1 (1) ごくごく―飲む　ばくばく―食べる　ぱたりと―やむ

(2) すいすい―泳ぐ　ほとほと―困る　ごしごし―こする　ころりと―負ける

(3) ぽかんと―口を開ける　ひしひし―伝わってくる　あくせく―働く

　　いそいそ―出かける

2 (1) ①びくびく　②いそいそ　③みすみす　(2) ①せかせか　②あくせく　③あたふた

(3) ①どぎまぎ　②まごまご　③やきもき　(4) ①もんもん　②うかうか　③うずうず

(5) ①どしどし　②するする　③どやどや　(6) ①はればれと　②ぶすっと　③けろりと

3 (1) × あやふや　(2) ○　(3) ○　(4) × すっと　(5) × ますます

(6) × はっきりと・くっきりと　　(7) ○

4 (1) あやふやな　　(2) たじたじな　　(3) さばさばした　　(4) もんもんとしていた

(5) うずうずしている　　(6) ねちねちした

Ⅲ. 実践練習 ≫

1. 1 3　　2 3　　3 3　　4 1　　5 3　　6 4　　7 4　　8 3　　9 4

10 2

2. 1 4　　2 2　　3 4　　4 4　　5 1

3. 1 1*　　2 3*　　3 4*　　4 4*　　5 2*

＊1 2は「むかっと」、3は「がくがく」、4は「ひょっこり」などが適切。

＊2 1は「たびたび」、2は「ぶかぶか」、4は「あやふや」などが適切。

＊3 1は「しみじみ」、2は「びくびく」、3は「しわしわ」などが適切。

＊4 1は「ぐるっと」、2は「びっくり」、3は「ぽかんと」などが適切。

＊5 1は「ほっと」、3は「はるばる」、4は「ほとほと」などが適切。

6章　慣用表現　1課　体の言葉を使った慣用表現①

Ⅰ. 言葉と例文 ≫

1 「家に手を入れる」は、家を修理するという意味。

「家を手に入れる」だと「家を買う」という意味になる。

Ⅱ. 基本練習 ≫

1 (1) ×　手を回して　　(2) ○　　(3) ○　　(4) ○

(5) ×　手を切る*　　(6) ×　目にして　　(7) ○

＊(5)「不正を行う会社と関係を断つ」という意味なので、「手を切る」が適切。

2 (1) ①目　②顔　③首　④鼻　　(2) ①腕　②肩　③手　④鼻

(3) ①目　②手　③肩　④口

Ⅲ. 実践練習 ≫

1. 1 4*　　2 3*　　3 3*

＊1「口をつぐむ」で「何も話さないで黙っている」という意味になる。「口」以外には使わない。

＊2 ここで使われている「冴える」は「頭の働きや体の調子がよくなる、はっきりする」の意味。「耳」「気持ち」
「手」には使わない。「目が冴える」で「意識がはっきりして、寝られない」という意味。

＊3「尽くす」は「全部使ってしまう」「ほかの人のために一生懸命努力する」という意味がある。この意味で
は「世話」「頭」と一緒には使えない。「体力」は「体力を使い尽くす」という表現ができるが、「体力を尽くす」
とは使わない。「手を尽くす」は「問題を解決するためにあらゆる手段を試す」という意味。

2. 1 1*　　2 2*　　3 2　　4 2　　5 4

＊1 2は、言い換えをする言葉だけに下線を引いてあるが、「手に負えない」「口を挟む」の形で慣用表現

として、覚えること。

3. 11　23　34　44　51　63　72　82　93

　103　112　124　134　144

6章　慣用表現　2課　体の言葉を使った慣用表現②・その他の慣用表現

Ⅰ. 言葉と例文 ≫

1 気が（合う／置けない）友人のことです。「親友」とは、（腹を）割って話せます。

Ⅱ. 基本練習 ≫

1 (1) ○　(2) × 腹を読む　(3) × 胸が詰まって　(4) × 気に病む

　(5) ○　(6) ○ 懐が寒い　(7) ○

2 (1) ①気　②懐　③心　④足　(2) ①虫　②足　③身　④息

　(3) ①花　②芽　③尾　④根

Ⅲ. 実践練習 ≫

1. 13*　24*　32*

*11は「ぶつかる」、2は「頭が疲れる」など適切。3は「気に障る」で「気分を害する」の意味。4は、「食べ過ぎはおなかに障る」などのように修正すれば適切な文となる。

*2「くくる」の基本的な意味は、「ばらばらのものを一つにまとめる」「何かに縛る」という意味。ただし、2と3のような、「考えをまとめる」、「人と人の心を結びつける」という意味の使い方はしない。「覚悟を決める」という意味で「腹をくくる」と言うが、「懐をくくる」とは言わない。

*3「紛らわす」は「気持ちなどをほかに移してわからなくする。ごまかす」という意味。前に来る言葉は、「心」「涙」などではなく「不安」「悲しみ」などの気持ちを表す言葉になる。また、3のような「人をごまかしてだます」という意味では使わない。

2. 12　21　32　41　54

3. 13　21　33　44　53　62　72　82　94

　101　111　124　134　143

7章　語形成　1課　複合動詞①

Ⅰ. 言葉と例文 ≫

1 見逃す

Ⅱ. 基本練習 ≫

1 (1) 悩み・秘密・思い・愛・気持ち―を打ち明ける

　　　責任・考え・負担・仕事―を押し付ける

　　　運転・参加・購入・開催―を見合わせる

　　　状況・本質・能力・価値―を見極める

(2) 力・金・運・資源・燃料—を使い果たす

波・人・客・不安・疲れ—が押し寄せる

味・色・魅力・個性・作品—が引き立つ

タイミング・時間・時期—を見計らう

反対・抵抗・（反対の）意見—を押し切る

2 (1) ①見逃して　②見落として　③見過ごす

(2) ①取り扱って　②取り組んで　③取り上げられて

(3) ①追い払って　②追い込まれた　③追い詰められた

(4) ①引き上げられた　②引き下がって　③引き落とされる

3 (1) b　(2) b　(3) b　(4) a　(5) a　(6) a　(7) a　(8) b

4 (1) 締めて　(2) 抜かれて　(3) 掛かり　(4) 寄せて　(5) 張って　(6) 合った

III. 実践練習 ≫

1. 1 1　2 2　3 3　4 4　5 2　6 1　7 4　8 2　9 3

10 4　11 1　12 4　13 4

2. 1 1　2 2　3 1

3. 1 3*　2 1*　3 2*

*1は「訪ねてきて」「来て」、2は「押し付ける」、4は「押し切って」が適切。

*2は「打ち明ける」、3は「使いこなして」など、4は「打ち込んで」が適切。

*3は「言い返した」、3は「言い張って」など、4は「知らせた」などが適切。

7章　語形成　2課　複合動詞②

I. 言葉と例文 ≫

1 駆け込み

II. 基本練習 ≫

1 (1) 被害・進行・減少・破壊—を食い止める　原因・正体・居場所・犯人—を突き止める

証言・話・意見・内容—が食い違う　時間・能力・力・金—を持て余す

(2) 弱み・ミス—に付け込む　列・席・話—に割り込む　ショック・不況—から立ち直る

費用・代金—を立て替える　話・別れ—を切り出す

2 (1) ①食い違って　②かみ合わない　③切り出した

(2) ①食い込む　②付け込んで　③突っ込んで

(3) ①溶け込んで　②巻き込まない　③呑み込め・呑み込めれ

(4) ①折り返します　②切り替えた　③立て替えて

(5) ①乗り切る　②立ち直れない　③開き直った

3 (1) b　(2) b　(3) a　(4) b　(5) a

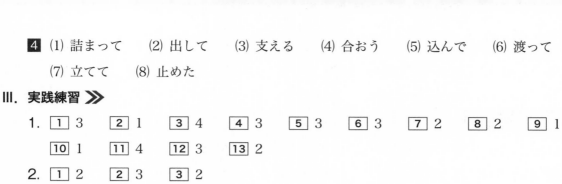

④ (1) 詰まって　　(2) 出して　　(3) 支える　　(4) 合おう　　(5) 込んで　　(6) 渡って

　　(7) 立てて　　(8) 止めた

III. 実践練習 ≫

1. ①3　　②1　　③4　　④3　　⑤3　　⑥3　　⑦2　　⑧2　　⑨1

　　⑩1　　⑪4　　⑫3　　⑬2

2. ①2　　②3　　③2

3. ①4*　　②2*　　③1*

　　*①1は「突っ込んだ」、2は「突っ込み」、3は「食い込んで」が適切。

　　*②1は「回りました」など、3は「渡れば」、4は「届いた」が適切。

　　*③2は「呑み込んで」「理解して」など、3は「溶け込んで」、4は「割り込まないで」が適切。

7章　語形成　3課　接尾辞・接頭辞

I. 言葉と例文 ≫

① 観

II. 基本練習 ≫

① (1) ①派　②系　③帯　④網　⑤圏　⑥層

　　(2) ①観　②欲　③味　④策　⑤視　⑥源

　　(3) ①当　②私　③猛　④純　⑤誤　⑥原　⑦過　⑧活

　　(4) ①生　②乱　③試　④双　⑤真　⑥深　⑦広　⑧即　⑨養　⑩微

　　(5) ①越し　②任せ　③柄　④心地　⑤がい　⑥ぐるみ　⑦並み　⑧目　⑨盛り　⑩丸

　　　　⑪素

② (1) b　　(2) b　　(3) a　　(4) a　　(5) a　　(6) b　　(7) a　　(8) b

③ (1) 名刺と同じ大きさ　　(2) 小学生と同じレベル　　(3) 家が並んでいる様子

　　(4) 家族みんなで　　(5) 性格　　(6) はだし　　(7) 成長期　　(8) 真面目すぎる

III. 実践練習 ≫

1. ①4　　②3　　③1　　④1　　⑤1　　⑥3　　⑦2　　⑧2　　⑨4

　　⑩3　　⑪3　　⑫2　　⑬2　　⑭1　　⑮1

2. ①2　　②3　　③2　　④2　　⑤2

模擬試験

第1回

1. ①4　　②3　　③2　　④1　　⑤4　　⑥2　　⑦2

2. ① 3　　② 2　　③ 2　　④ 1　　⑤ 2　　⑥ 3

3. ① 3　　② 2　　③ 1　　④ 3　　⑤ 4　　⑥ 1

第2回

1. ① 4　　② 3　　③ 4　　④ 4　　⑤ 2　　⑥ 4　　⑦ 2

2. ① 4　　② 2　　③ 4　　④ 2　　⑤ 4　　⑥ 3

3. ① 2　　② 3　　③ 4　　④ 1　　⑤ 3　　⑥ 4

新完全マスター **語彙**

日本語能力試験 **N1**